A breve vida de
Jonathan Edwards

A breve vida de

Jonathan Edwards

GEORGE MARSDEN

M364b Marsdem, George M., 1939-
　　　　A breve vida de Jonathan Edwards / George M.
　　　Marsden ; [traduzido por Francisco Wellington Ferreira].
　　　– São José dos Campos, SP : Fiel, 2015.

　　　　208 p. ; 21cm.
　　　　Tradução de: A short life of Jonathan Edwards.
　　　　Inclui índice.
　　　　ISBN 9788581322742

　　　　1. Edwards, Jonathan, 1703-1758. 2. Igrejas
　　　congregacionais – Estados Unidos – Clero – Biografia.
　　　I. Título.
　　　　　　　　　　　　　　　　　　　　CDD: 285.8092 B

Catalogação na publicação: Mariana C. de Melo – CRB07/6477

A Breve Vida de Jonathan Edwards

Traduzido do original em inglês
A Short Life of Jonathan Edwards
por George M. Marsden
© 2008 George M. Marsden

■

Publicado por Wm. B. Eerdmans Publishing Co.
2140 Oak Industrial Drive N.E.,
Grand Rapids, Michigan 49505

Copyright © 2013 Editora Fiel
Primeira Edição em Português: 2015

Todos os direitos em língua portuguesa reservados
por Editora Fiel da Missão Evangélica Literária
PROIBIDA A REPRODUÇÃO DESTE LIVRO POR QUAISQUER
MEIOS, SEM A PERMISSÃO ESCRITA DOS EDITORES,
SALVO EM BREVES CITAÇÕES, COM INDICAÇÃO DA FONTE

■

Diretor: Tiago J. Santos Filho
Editor: Tiago J. Santos Filho
Tradução: Francisco Wellington Ferreira
Revisão: Márcia Gomes
Diagramação: Rubner Durais
Capa: Rubner Durais
ISBN impresso: 978-85-8132-274-2
ISBN e-book: 978-85-8132-282-7

Caixa Postal 1601
CEP: 12230-971
São José dos Campos, SP
PABX: (12) 3919-9999
www.editorafiel.com.br

Para

*Anneke, Zach, Saskia,
Elena e Vivian*

Sumário

Prefácio 9

Agradecimentos 11

1. Edwards, Franklin e seu tempo 13

2. Lutando com Deus 33

3. Transições e desafios 49

4. Avivamento 67

5. Uma revolução americana 93

6. Drama em Northampton 127

7. Um mundo em conflito 149

8. Um missionário, um erudito e um presidente 173

   Conclusão: o que devemos aprender de Edwards? .. 197

   Sugestões para leitura posterior 209

Prefácio

Minha esperança é que esta biografia torne Jonathan Edwards acessível a uma grande variedade de leitores. Segundo a opinião de todos, Edwards é um dos personagens mais notáveis na história americana. Em geral, ele é um dos mais influentes e respeitados americanos na história do cristianismo. No entanto, Edwards não é tão conhecido e entendido como deveria ser. A maioria das pessoas que sabem algo a respeito dele, lembram-se apenas de alguma coisa referente ao seu famoso sermão "Pecadores nas mãos de um Deus irado", que, na melhor das hipóteses, as deixou com uma impressão estereotipada. Espero que este livro dê ao leitor uma visão mais equilibrada e, ao mesmo tempo, agradável, informativa e breve.

As origens deste livro ajudam a explicar seu caráter. Em 2003, publiquei *Jonathan Edwards: A Life* (Jonathan Edwards: Uma Biografia), uma parceria com a Universidade de Yale por ocasião dos trezentos anos do aniversário de nascimento de Jonathan Edwards. Antes de me pedirem que escrevesse aquela biografia maior, eu já havia dito aos meus amigos da publicadora Eerdmans que um dia escreveria uma biografia de Edwards para eles. Por isso, com a cooperação de ambos os publicadores concordei em que, depois de escrever uma biografia mais completa para Yale, eu escreveria algo mais breve para Eerdmans. O resultado seria que, havendo já publicado uma obra mais longa e cuidadosamente documentada, este livro poderia ser breve, sem qualquer aparato erudito. Exceto poucos itens mencionados nos agradecimentos, a documentação de qualquer coisa dita aqui pode ser achada na obra maior. No entanto, preciso enfatizar que este livro não é uma abreviação de *Jonathan Edwards: A Life*. Antes, é um recontar diferente, no qual tentei incluir apenas o que é mais essencial e interessante. Poucas coisas, especialmente o tema recorrente de Edwards e Benjamim Franklin, são novas. Minha esperança é que o resultado apele não somente ao leitor geral, mas também a grupos de estudo na igreja e alunos universitários em cursos de história ou religião. Ao recontar, tentei não esquecer os interesses de cada uma destas audiências.

George M. Marsden

Agradecimentos

Este livro, assim como *Jonathan Edwards: A Life* (Jonathan Edwards: Uma Biografia), foi elaborado debaixo de inúmeras pesquisas e escritos de outros, dos quais sou um beneficiário profundamente grato. A maioria dos pesquisadores e intérpretes estão associados ao grande projeto *Obras de Jonathan Edwards*, na Universidade de Yale. Sou especialmente grato a meus amigos e ex-alunos Kenneth Minkema e Harry S. Stout, por sua ajuda pessoal e liderança recente nesse projeto. Há, porém, muitos outros contribuintes importantes para mencionarmos aqui. Reconhecimentos mais amplos e a documentação de sua importante contribuição podem ser achados no volume mais extenso. As próprias obras de Edwards, incluindo seus sermões, anotações e coisas semelhantes não publicadas anteriormente, podem ser achadas *online* sob o título *Obras de Jonathan Edwards*. Algumas citações de Benjamin Franklin, novas neste livro, procedem de fontes bem conhecidas. No capítulo quatro, fui orientado recentemente por Frank Lambert no que diz respeito a Whitefield e Franklin, *Pedlar in Divinty: George Whitefield and the Transatlantic Revivals* (Princeton University Press, 1994), pp. 97-99, 110-130; e, no que diz respeito aos avivamentos, por Thomas S. Kidd, *The Great Awakening: The Roots of Evangelical Christianity in Colonial America* (Yale University Press, 2007). Quanto ao relato de Edwards e ao avivamento em Suffield, no capítulo cinco, usei o novo material de Douglas L. Winiarski, *Jonathan Edwards, Enthusiast? Radical Revivalism and the Great Awakening in the Connecticut Valley, Church History* 74:4 (December 2005), pp. 683-739.

Sou muito agradecido a Thomas S. Kidd e Sarah Miglio por lerem um rascunho desta obra e fazerem muitas sugestões úteis, visando a aprimoramentos. Também sou grato a David Bratt por seu hábil trabalho de edição. Como sempre, minha maior dívida é para com Lucie. Ela é bem mencionada.

CAPÍTULO UM

Edwards, Franklin e Seu Tempo

No começo de outubro de 1723, dois jovens notáveis da Nova Inglaterra, desconhecidos um do outro, desejavam muito estabelecer-se na cidade de Nova Iorque. Se tivessem conseguido realizar seu desejo, a história primitiva da América incluiria relatos dramáticos de interações e conflitos entre duas das figuras mais renomadas da era colonial. A cidade de Nova Iorque, que na época tinha menos de dez mil habitantes, talvez não fosse suficientemente grande para os dois. Aconteceu que as esperanças de Benjamin Franklin e de Jonathan Edwards quanto à Nova Iorque foram rapidamente desfeitas, e os dois provavelmente nunca se encontraram.

Dois rapazes na América britânica

A busca de Benjamin Franklin por Nova Iorque é parte de uma história de família. Quase aos 18 anos, ele interrompeu seu aprendizado de tipógrafo com seu irmão James e, secretamente, embarcou em um veleiro rumo àquela cidade. Após atrasos devido aos ventos contrários, por fim ele chegou ao antigo porto holandês, apenas para descobrir que o único tipógrafo na cidade, William Bradford, não precisava de ajuda. Apesar disso, Bradford sugeriu que o rapaz tentasse sua sorte em Filadélfia, onde o irmão de Bradford era tipógrafo e procurava ajuda. O resto da história é bem conhecido.

Durante as mesmas semanas em que Franklin visitava Nova Iorque, Jonathan Edwards, havendo passado o verão na casa dos pais em East Windsor (Connecticut), sustentava uma última esperança de retornar à cidade onde passara o outono e o inverno anterior. Tendo acabado de completar 20 anos, em 5 de outubro de 1723, ele já havia servido como pastor interino na parte sul daquela cidade cosmopolita. Os meses do rapaz em Nova Iorque estavam entre os mais agradáveis em sua memória. Edwards esperava ser chamado de volta para ser o pastor efetivo da Igreja Presbiteriana na cidade. Mas a existência de tal função dependia, primeiramente, da resolução de um cisma entre as facções inglesa e escocesa dos presbiterianos na cidade. Em outubro, uma delegação enviada pela faculdade em que Edwards se graduara, *Yale College*, relatou que o cisma não pôde ser resolvido. Não houve abertura para Edwards. Ele teria de esperar mais quatro anos antes de achar um lugar apropriado para as suas elevadas ambições pessoais e espirituais.

Franklin e Edwards, embora tão diferentes em temperamento e compromissos quanto poderiam ser, também tinham algo em comum. Ambos eram produto da cultura calvinista da Nova Inglaterra, e atingiram a maturidade no século XVIII, quando se questionava de que maneira o velho experimento puritano sobreviveria no mundo autoconfiante do Império Inglês e do Iluminismo. Franklin e Edwards reagiram a esta justaposição entre modernidade inglesa do século XVIII e herança puritana da Nova Inglaterra de maneiras quase opostas. Eles representavam os dois lados da mesma moeda na cultura americana que emergiu durante a época anterior à Revolução Americana. Cada um deles se desenvolveu para ser uma das figuras mais influentes na cultura inglesa colonial nos meados dos anos de 1700. Cada um deles é melhor compreendido se não nos esquecermos de que viveram no mesmo mundo colonial, relativamente pequeno, lidando, muitas vezes, com as mesmas questões.

No caso de Jonathan Edwards, é especialmente proveitoso lembrarmos que sua vida era paralela à do Franklin *pré-revolucionário*. Edwards morreu aos 54 anos, em 1758, num tempo quando ninguém imaginava o rompimento vindouro com a Grã-Bretanha. Franklin viveu até 1790; por isso nos lembramos dele como um revolucionário. Se também tivesse morrido em seus 50 anos (e isso quase aconteceu quando ele cruzava o Atlântico em 1757), teríamos uma imagem bem diferente a respeito dele. Ainda seria lembrado como uma pessoa de intelecto brilhante, como um dos mais famosos cientistas e inventores da América britânica, especialmente por seus experimentos elétricos, como um líder civil engenhosamente prático e como um profeta de unidade intercolonial. Entretanto, ele também teria sido uma pessoa sempre leal à coroa britânica (e, de fato, não abandonou sua lealdade até à véspera da revolução) e, como um dono de escravos (até 1781), consideravelmente menos progressista em alguns aspectos sociais do que o Franklin que costumamos lembrar.

Edwards e Franklin, embora opostos em temperamento, eram, ambos, filhos de calvinistas piedosos da Nova Inglaterra, num tempo quando sua herança cultural enfrentava em uma crise severa. Cada um deles foi precoce e, crescendo numa era em que a imprensa dominava os meios de comunicação, cada um lia tudo que pudesse ter às mãos. Cada um foi extraordinariamente curioso e mergulhou nos mistérios e rigores dos volumes teológicos da biblioteca de seu pai. Em sua adolescência, ambos admiravam os escritos imaginativos do *Spectator* da Inglaterra, editado por Addison e Steele. Cada um deles reconheceu cedo que a teologia calvinista que dominava a vida intelectual da Nova Inglaterra, infelizmente, era antiquada de acordo com os padrões britânicos em voga. Edwards e Franklin gastaram toda uma vida lidando com o conflito destes dois mundos. Cada um trabalhou vigorosamente para usar o que viu como essencial em sua herança cultural da Nova Inglaterra para atender aos desafios de uma era que mudava rapidamente.

Se pensamos nos puritanos como uma das primeiras comunidades imigrantes da América, então, as reações opostas de Edwards e Franklin às transições dramáticas de sua época se tornam o protótipo de uma história americana clássica. Uma comunidade fundada sobre a fé, bem como sobre a etnicidade, se divide quanto a como se adaptar às maneiras de uma nova era. Em tempos posteriores, diríamos que estes conflitos eram sobre "americanização", embora, na época de nosso protagonista, fossem mais um debate a respeito de tornar-se britânico ou sobre a "anglicanização", como é chamado às vezes. Franklin adotou a cultura progressista de seus dias, como uma vingança, tanto que ele abandonou a família, a religião e a região para buscar sua própria sorte. Edwards enfrentou muitos dos mesmos desafios, mas manteve a velha fé. Fez isso, não como um reacionário, mas, à semelhança de Franklin, como um inovador. Sua experiência de sustentar fortemente o calvinismo na era da razão fria do Iluminismo resultou em criatividade notável.

O jovem Edwards pode ter lido Franklin, o mais novo dos dois. Em maio de 1722 (o ano anterior à data em que os dois quiseram estabelecer-se em Nova Iorque), a criação de Benjamin, Silence Dogood, fez sua quarta aparição no *New England Courant*, o jornal publicado por James Franklin. Com toda a probabilidade, este exemplar do jornal controverso logo chegou a New Haven (Connecticut), onde Edwards era aluno em Yale, pois o objeto de ridículo da viúva Dogood era o *Havard College*, já arquirrival de Yale. Seguindo o exemplo de *O Peregrino*, o clássico protestante popular, a viúva relatava que caíra no sono e acordara numa terra em que "todos os lugares ressoavam a fama do Templo do Aprendizado". Aproximando-se da instituição famosa, ela descobriu que o portão era guardado por "dois porteiros fortes chamados Riqueza e Pobreza, e este se recusava obstinadamente a dar entrada a qualquer pessoa que não tivesse ganho o favor daquele". Dentro do Templo, a ignorância e indolência dos alunos eram encobertas por seu brincar com latim, grego e hebraico. A viúva Dogood, curiosa por saber por que muitos afluíam para estudar no "Templo da Teologia", logo descobriu Pecúnia (dinheiro) espreitando por trás de uma cortina. Os alunos, "seguindo as maquinações de Plágio", copiavam em suas obras as palavras de John Tillotson, o popular pregador anglicano anticalvinista, conhecido por sua eloquência.

A sátira de Franklin teria entretido Edwards, visto que os alunos de Yale eram prontos para acreditar nos rumores frequentes de frouxidão doutrinária em Harvard. O pai de Edwards era um clérigo conservador em Connecticut e havia sido um firme apoiador da alternativa em sua colônia para Harvard, desde a fundação da escola mais nova em 1701. O próprio Jonathan não tinha ilusões sobre alunos de faculdade da Nova Inglaterra. Embora a maioria de seus colegas em Yale fossem, como ele era, alunos de teologia, Jonathan achava que a maioria deles era um bando de bagunceiros. Jonathan podia imaginar facilmente que as coisas eram ainda piores em Harvard.

Sendo um satirista muito astuto, Franklin fazia a viúva Dogood falar como se fosse uma patriota conservadora chocada com o que encontrava na moderna Boston. Numa contribuição anterior, ela comentara que, "entre os muitos vícios reinantes na cidade" a serem deplorados, havia o pecado de orgulho, "um dos vícios mais detestáveis para Deus e para os homens" – especialmente, lamentou ela, a evidência crescente de "orgulho de vestimentas". Este pecado era muito notável entre pessoas de seu próprio sexo, conforme era evidenciado pela moda ridícula de "anáguas de armação", que ela dizia serem tão pesadas que poderiam ser empilhadas no forte local para amedrontar invasores. Num tempo anterior, roupas modestas haviam servido como uma característica identificadora da Nova Inglaterra puritana. Os primeiros colonos deploravam exibições ostentosas de riqueza. Agora, os tempos estavam mudando, quando muitos da terceira ou quarta geração de herdeiros do legado puritano, se ainda subscreviam às doutrinas formais da velha fé, estavam rejeitando suas formas austeras e adotando modas inglesas, não importando quão extravagantes ou bizarras fossem.

Muito do que a viúva do clérigo falou em deploração ao "orgulho de vestimentas", estilos modernos e exibições de riqueza, soava como os sermões que o jovem Jonathan ou o jovem Benjamin teriam ouvido. O clero congregacional da Nova Inglaterra eram os homens mais reverenciados nas províncias. Eram os mais bem educados e detiveram por muito tempo certo monopólio quanto a falar em público, pregando pelo menos dois sermões por semana. Suas igrejas eram "estabelecidas" como instituições do estado, sendo sustentadas por impostos. Eram geralmente cheias, devido à lei ou ao costume. O clero também falava frequentemente em palestras semanais e em ocasiões públicas, como dias de eleição. Todos professavam o cristianismo ortodoxo, mas diferiam em temperamento entre aqueles que eram moderados, mais visionários e mais tolerantes em questões como estilos de roupa e os conservadores, mais inflexíveis. Em áreas mais afastadas, como a Connecticut da família Edwards ou a Massachusetts ocidental, onde Solomon Stoddard, o famoso avô de Jonathan, presidiu, os conservadores mantinham controle firme. Boston era mais cosmopolita e, também, mais dividida. O idoso Increase Mather e seu filho comunicativo, Cotton Mather, cuja obra *Essays to do good* inspirou o pseudônimo de Franklin, lideraram os pastores conservadores de Boston, os quais lamentavam o fato de que os anos de glória do puritanismo estivessem se tornando em vagas recordações.

O surgimento de jornais em Boston, nos anos de 1700, teve o potencial de desafiar o domínio do clero na comunicação pública. Esse potencial se tornou uma realidade quando James Franklin estabeleceu o *New England Courant*, em 1721. Adaptando seu jornal ao padrão do imaginativo *Spectator*, de Londres, ele o usou imediatamente para atacar Cotton Mather. Depois, se comprovou que a ocasião foi uma escolha infeliz, embora no momento os méritos do caso estivessem longe de ser claros. Mather estava defendendo as inoculações como um meio de reduzir o risco durante uma devastadora epidemia de varíola, e Franklin o atacou agressivamente pelo que aos seus olhos parecia um experimento perigoso. Mather, apesar de seu conservadorismo teológico e nostalgia pelos dias de outrora, sabia mais sobre ciência contemporânea do que qualquer outro na colônia, perícia pela qual ganhou o direto de ser membro da prestigiosa Real Sociedade da Inglaterra. A primeira fonte do conhecimento de Mather sobre inoculações era seu escravo, Onesimus, o qual lhe assegurou que elas eram uma prática comum na África. Mather, uma pessoa de curiosidade insaciável, não somente confirmou o testemunho de Onesimus por ouvir outros escravos, mas também leu sobre o sucesso de tais práticas no Império Otomano, conforme relatado nas minutas da Real Sociedade. Muitos residentes de Boston, incluindo a maioria dos médicos, se opuseram ao programa de inoculação de Mather. Alguns até lançaram bombas incendiárias em sua casa. James Franklin, tirando vantagem da controvérsia, ajudou a guiar este coro de oposição provavelmente, em grande parte, porque Mather representava o estabelecimento conservador. Em junho de 1722, depois de passada a crise da varíola, o estabelecimento contra-atacou. A Corte Geral de Massachusetts, buscando uma desculpa para silenciar o insubordinado *Courant*, lançou James na prisão por um mês, aparentemente por causa de um sarcasmo feroz sobre o governo.

Benjamin Franklin se viu temporariamente na responsabilidade de publicar o *Courant*, e, ao mesmo tempo, Silence Dogood perdeu seu disfarce de conservadora. No primeiro exemplar depois da prisão de James, toda a carta da viúva era um longo trecho do *London Journal* sobre a liberdade de expressão. "Este privilégio sagrado é tão essencial a governos livres", ela citou, "que a segurança da propriedade e a liberdade de expressão andam sempre juntas; e naqueles países perversos onde um homem não pode dizer que é dono de sua própria língua, ele pode ficar com medo de dizer que é dono de qualquer outra coisa". Esta citação nos lembra de que o jovem Franklin amadureceria e se tornaria um revolucionário, mas, como ele e seus leitores bem sabiam, as sementes da revolução haviam sido plantadas pelos seus antepassados puritanos. A citação de Silence Dogood prossegue e cita a lembrança "da corte do rei Charles I", onde "seu ministério perverso aprovou um decreto que proibia as pessoas de falarem dos parlamentos, o qual aqueles traidores rejeitaram".

Franklin invocou, portanto, o momento político mais momentoso na história dos puritanos. Em 1649, os puritanos ingleses e o Parlamento, sob o governo de Oliver Cromwell, emergiram como alguns dos primeiros revolucionários modernos, quando executaram o rei Charles I como traidor. Na Nova Inglaterra, a herança revolucionária persistiu. Em 1689, os residentes na Nova Inglaterra celebraram a "Revolução Gloriosa", quando o príncipe protestante Guilherme de Orange assumiu o lugar do católico James II. Dessa segunda revolução, desenvolveu-se o que se tornou conhecido como a "tradição da comunidade de nações" (Cromwell havia presidido um protetorado puritano, antes dos reis serem restaurados), que defendia princípios de liberdade em oposição à tirania. Por mencionar Charles I, a viúva estava apontando a ironia da proibição da crítica política por parte da Corte de Boston: os herdeiros do puritanismo eram menos abertos à dissidência quando tinham o poder.

Duas semanas depois, Silence Dogood deu prosseguimento ao ataque com uma carta que deplorava a hipocrisia. Como nas peças anteriores, ela escolheu um tópico que era essencial nos sermões da Nova Inglaterra. Neste caso, ela transformou o tema familiar em um ataque à aliança íntima entre o clero e os oficiais da colônia, que podiam usar linguagem piedosa para atingir seus propósitos pessoais. "*Uma pequena religião*", ela ressaltou num aforismo que ainda é verdadeiro, "*como uma pequena honestidade, tem um grande caminho nas cortes*" – ou seja, na política. Isso é especialmente verdadeiro "se o país... é notado pela pureza da religião".

Em princípio, Jonathan Edwards teria concordado com as opiniões de Franklin quanto à honestidade, embora, como filho e neto de pastores que estava ingressando no ministério do evangelho, ele mesmo fosse um beneficiário do estabelecimento político-religioso na Nova Inglaterra. Na vida posterior, ainda que seus instintos políticos fossem conservadores, ele se mostrou pronto a criticar magistrados que se escondiam por trás de uma máscara de piedade.

No entanto, se Jonathan leu o *Courant* de 22 de julho de 1722, pode ter suspeitado da piedade da própria viúva. Franklin começou a carta da viúva com uma versão clássica da pergunta característica de sermões ingleses: "Se uma nação sofre mais por causa de hipócritas simuladores de religião ou por causa dos abertamente profanos". Alunos de faculdade, como Edwards, debatiam tais questões. Contudo, em seu zelo para expor o dano que hipócritas em posições públicas poderiam trazer a toda uma nação, Franklin minimizou os perigos da irreverência franca da parte de indivíduos específicos. "Uma pessoa notoriamente profana numa causa pessoal", Silence Dogood opinou, "arruína [apenas] a si mesma e, talvez, promova a destruição de alguns de seus iguais".

Aqui, introduzido discretamente, estava um resumo da filosofia de vida de Franklin, a qual conhecemos tão bem de seus escritos posteriores. Para Franklin, parecia evidente que princípios morais deveriam ser determinados apenas por avaliarmos as consequências das ações. Por exemplo, em sua Autobiografia, quando reconta suas tentativas de atingir "perfeição moral" por seguir uma lista de virtudes (como frugalidade, labor, sinceridade e semelhantes), ele redefine a virtude de "castidade" de uma maneira que permite ampla liberdade pessoal: "Raramente use a cópula [a satisfação do desejo sexual], senão por causa de saúde ou procriação, nunca para insensatez, fraqueza ou para prejudicar a paz e a reputação pessoal e de outra pessoa". Assim, Franklin articulou o que se tornaria uma das mais predominantes tradições americanas, uma tradição usada por inúmeras pessoas, e por ele mesmo, para se libertarem de restrições morais baseadas em religião de suas diferentes comunidades de origem.

Por outro lado, Edwards exemplifica uma história bem diferente, mas igualmente americana. A história de Edwards, como a de inúmeras pessoas desde então, foi uma de enfrentar o desafio de permanecer leal a uma comunidade tradicionalista encorajadora, mesmo quando as atrações da vida cosmopolita moderna, como uma força centrífuga, ameaçavam dividir a comunidade e destruir sua peculiaridade. Como na maioria dessas comunidades, a força centrípeta de contra-ataque, que a mantinha unida, era não somente a lealdade à família, aos amigos e à própria comunidade, por mais inestimavelmente importantes que fossem, mas também a lealdade a um ideal religioso transcendente. A fé e a confiança em Deus tornaram a lealdade à comunidade não somente uma questão de escolha pessoal, mas também uma questão de princípio elevado, visto como que ligado a nada menos do que o destino eterno de uma pessoa.

Herança religiosa de uma comunidade imigrante

Pela própria natureza do caso, não há nenhuma história totalmente típica de experiência americana; portanto, como poderíamos esperar, a comunidade em que Edwards cresceu tinha alguns traços singulares. Os puritanos que se estabeleceram na Nova Inglaterra foram as primeiras e as maiores (portanto, as mais influentes) das comunidades étnico-religiosas nas colônias britânicas. Além disso, a circunstância incomum de pertencerem a uma minoria perseguida em seu país de origem, a Inglaterra, mas uma maioria esmagadora em seus assentamentos americanos, criou algumas tensões de longa duração que precisamos considerar em mais detalhes.

Embora dezenas de milhares de puritanos que migraram para a América nos anos de 1630 fossem parte um grupo religioso oprimido na Inglaterra, havia muito que eles aspiravam governar. Na época, em meio a mais de um século de lutas e conflitos entre protestantes e católicos que seguiram a Reforma, a maioria das pessoas tinha como certo o fato de que a nação deveria ter apenas uma religião. Se uma religião era a única verdadeira, racionavam as pessoas, então, não fazia sentido que o estado tolerasse substitutas falsas. Essa tolerância, continuava o raciocínio, resultaria no fracasso do estado em proteger seus cidadãos do maior de todos os perigos: serem traídos na questão de sua vida eterna. De acordo com essa ideia, o sucesso protestante dependia de ganharem as simpatias dos governantes de uma nação.

Nessa batalha reformada pela lealdade de monarcas e, portanto, de suas nações, a própria Inglaterra foi um caso peculiar. Em 1534, menos de 20 anos depois que a Reforma começou, o rei Henrique VIII decidiu mudar igrejas para mudar de esposa. A Inglaterra, por isso, tornou-se protestante, mas suas razões para fazer isso eram tão frágeis que a nação estava sujeita a voltar para o catolicismo. De fato, a Inglaterra fez isso de 1553 a 1558, sob o governo da rainha Mary, uma das filhas de Henrique que permaneceu católica apesar dos esforços de reforma de seu pai. Sob o governo de outra filha, a rainha Elizabeth, uma protestante, que reinou de 1558 a 1603, um compromisso colocou a Igreja da Inglaterra num curso incomum. Sua teologia seria protestante, mas suas formas refletiriam o catolicismo. Os bispos governariam a igreja, e seu culto incluiria muito da imaginação, pompa e rituais característicos de sua herança católica.

O puritanismo foi simplesmente um nome dado a um grupo mais radical de protestantes calvinistas, os quais desejavam levar avante a Reforma por "purificarem" a Igreja da Inglaterra. Eles queriam eliminar quaisquer formas, imagens e práticas que parecessem católicas e estabelecer uma igreja "pura", na qual somente a Bíblia fosse o guia de fé, vida e culto. Esperando conseguir essas reformas, os puritanos evangelizaram dentro da Igreja da Inglaterra para ganhar convertidos para sua causa. Em última análise, o controle da igreja estatal dependeria do apoio governamental.

Visto que a rainha Elizabeth I (a "rainha virgem", em honra de quem a colônia de Virgínia recebeu seu nome) não tinha filhos, a monarquia inglesa passou, em 1603, à Casa de Stuart, que tinha pouca simpatia para com o partido puritano dentro da Igreja da Inglaterra. Por volta de 1630, embora os puritanos já houvessem garantido algum apoio no Parlamento inglês, suas perspectivas pareciam tão duvidosas na Inglaterra que dezenas de milhares deles se ariscaram na longa e perigosa viagem para se estabelecerem na América. Nos anos 1640, a situação na Inglaterra mudou dramaticamente quando irrompeu a guerra civil. Por fim, o partido dos puritanos e o Parlamento triunfaram, levando à inesquecível execução de Charles I em 1649. Com o rei morto, Oliver Cromwell, um general de exército puritano, governou a Inglaterra como um protetorado.

Seguindo a morte de Cromwell, em 1658, a antipuritana Casa de Stuart foi restaurada em 1660. E, durante as décadas seguintes, o governo perseguiu e reprimiu puritanos na Inglaterra. Em 1685, James II, um católico romano, subiu ao trono. Protestantes da Igreja da Inglaterra reagiram em 1688 e reafirmaram sua predominância, no que chamaram de "Revolução Gloriosa", por mandarem James para o exílio e declararem que o trono sempre seria protestante (e ainda é, por lei). A Igreja da Inglaterra permaneceu a igreja estabelecida, enquanto os herdeiros dos puritanos (congregacionalistas, presbiterianos e batistas) eram oficialmente tolerados como "dissidentes". Por não serem da Igreja da Inglaterra, os dissidentes foram excluídos de posições políticas importantes e de frequentarem as principais universidades, Oxford e Cambridge.

Enquanto isso, a província distante da Nova Inglaterra se desenvolveu de forma diferente, como comunidades imigrantes sempre fazem. Os puritanos originais que se estabeleceram em Massachusetts e Connecticut tinham governado, em certa medida, como queriam. Seguindo a prática comum da época, estabeleceram suas próprias igrejas e excluíram todas as outras. Durante os tempos revolucionários nas décadas de 1640 e 1650, eles tinham laços próximos com os puritanos ingleses, mas, após a restauração dos Stuarts, foram isolados. Em 1684, no final da era de governo dos Stuarts, eles perderam sua aparente independência. Massachusetts recebeu uma nova constituição que lhes dava um governador real e exigia que tolerassem outros protestantes. Connecticut reteve sua constituição original mas, como Massachusetts, teve de adotar procedimentos ingleses de tolerar, pelo menos, os outros protestantes. Ambas as colônias viram suas igrejas congregacionais, as quais eram sustentadas por impostos, manterem seu *status* de igrejas oficiais e seu aparente monopólio na maioria das cidades.

A dupla herança dos imigrantes puritanos – oprimidos na Inglaterra e, por isso mesmo, defensores de seus direitos, enquanto em suas colônias eram promotores de seu próprio monopólio religioso – deixou algumas tensões que ainda continuavam não resolvidas até ao começo dos anos de 1700, quando Jonathan se tornava adulto. Enquanto outros discutiam poder eclesiástico e político, os habitantes da Nova Inglaterra estavam prontos a falar sobre os "direitos" outorgados por seu Deus. Entretanto, quando eles mesmos governavam, em sua maior parte, acreditavam que os subordinados deveriam se submeter voluntariamente às autoridades ordenadas por Deus.

Em uma família de ministros, como a de Edwards, o elemento mais inquietante dessa herança dupla tinha a ver com a natureza da igreja. A igreja deveria ser, como sugeria o rótulo "puritano" de seus antepassados, uma instituição pura, constituída apenas de crentes ou deveria ser mais inclusiva para refletir seu *status* de instituição oficial? Seus antepassados tinham construído templos simples e não adornados para mostrar que aquilo que fazia uma igreja não era seu prédio ou seus adornos, e sim a presença do Espírito Santo entre o grupo de verdadeiros crentes reunidos para adoração. Por isso, eles examinavam com cuidado aqueles que pretendiam ser membros da igreja, para assegurarem-se de que tais pessoas tinham as evidências corretas de transformação do coração pelo Espírito Santo. Nas décadas de meados dos anos de 1700, os padrões estavam mudando em muitas congregações. As manifestações mais visíveis dessa mudança ainda podem ser vistas hoje na arquitetura de igrejas da Nova Inglaterra. Gradualmente, os habitantes da Nova Inglaterra no século XVIII substituíram seus templos simples por prédios de igreja com belos pináculos, as quais adornam o interior da Nova Inglaterra. Os prédios em estilo "georgiano" refletiram uma difusão mais geral dos gostos ingleses entre os herdeiros dos imigrantes originais de estilo simples. A mudança correspondente, que levaria a um dos maiores dramas e sofrimento na vida da família de Edwards, era que os padrões para aceitação de membros na igreja estavam mudando. Em alguns lugares, as igrejas congregacionais estavam começando a mover-se em direção a tornarem-se mais como igrejas paroquiais do velho mundo, nas quais todos eram batizados na igreja e os padrões para a aceitação de membros adultos não eram severamente estritos.

Jonathan nasceu no ambiente dos conflitos que essas questões não resolvidas criariam. Seu pai, o Rev. Timothy Edwards, era um proponente firme dos velhos caminhos. Timothy exigia que os interessados em tornar-se membros comungantes da igreja (pessoas que poderiam participar da "comunhão" ou da ordenança da Ceia do Senhor) fossem capazes de apresentar um relato preciso de sua jornada de pecador rebelde para convertido regenerado ("nascido de novo"). Não esperava que descrevessem o momento de conversão repentina, mas deveriam falar de um progresso, passo a passo, que resultara numa vida comprovadamente transformada. Os puritanos da Nova Inglaterra, como Timothy Edwards, não esperavam perfeição entre os membros de sua igreja. Em vez disso, procuravam algo mais semelhante ao que achavam no clássico de John Bunyan, *O Peregrino* (publicado entre 1678-1684), um relato alegórico da jornada de um homem para a cidade celestial, uma jornada em que, embora o coração tenha sido transformado pela graça de Deus, ele ainda erra frequentemente. Para Timothy Edwards, revelar a diferença entre santos imperfeitos, que reconheciam a necessidade de dependência total de Deus, e hipócritas autoiludidos, que professavam o cristianismo mas seguiam seus próprios desejos, era uma ciência que exigia muita competência.

Enquanto Benjamin Franklin, em seus anos de adolescente, rejeitava todo o empreendimento calvinista e até celebrava a confiança em si mesmo, para Jonathan Edwards a questão predominante na vida era se ele mesmo e os outros eram verdadeiramente regenerados. Desde sua infância, Edwards não podia fugir do inescapável silogismo de que, se o Criador da realidade era um ser pessoal, que revelara seu amor perfeito em Jesus Cristo, então, a questão mais importante na vida era a relação de uma pessoa com Deus. Isso era a essência da regeneração. Edwards sabia que, por natureza, ele era, em seu âmago, um rebelde contra Deus, um rebelde que rejeitava o amor de Deus. Sua única esperança era que conhecesse e respondesse ao extraordinário amor de Deus revelado na morte de Jesus Cristo, na cruz, em favor de pecadores. No entanto, visto que os resquícios do pecado egocêntrico permaneciam até no coração dos santos, em geral era angustiantemente difícil ter clareza de se uma pessoa amava verdadeiramente a Deus ou se era um hipócrita preso no autoengano. A chegada de Edwards ao estado de adulto, nos primeiros dos seus 20 anos, foi dominada por essa luta. Enquanto Franklin celebrava sua rebelião contra as velhas autoridades, Edwards achava, por meio de sua luta com elas, significados mais profundos que moldaram seu senso de missão não somente para a sua terra natal, a Nova Inglaterra, mas também para o mundo transatlântico do Iluminismo.

CAPÍTULO DOIS

Lutando com Deus

Quando Jonathan Edwards era um menino entre dez e doze anos, talvez o elemento mais interessante de sua família, na vila de East Windsor (Connecticut), fosse o número de moças que ali residiam. Jonathan tinha dez irmãs, quatro mais velhas e seis mais novas. Sua mãe, Esther, filha do reverendo Solomon Stoddard, o homem mais influente na Nova Inglaterra ocidental, era também uma pessoa formidável. Portanto, embora não houvesse questionamento quanto a autoridade de seu pai, Jonathan cresceu cercado de mulheres. Como o único menino, ele era o centro das atenções. Desde os primeiros anos, seus pais o prepararam para a faculdade e o ministério; e suas irmãs mais velhas supervisionavam frequentemente as suas lições. Em toda a sua vida, Jonathan admirou especialmente a piedade feminina, a qual viu primeiramente em sua mãe e suas irmãs.

Timothy Edwards administrava a família com ordem e disciplina. Embora a sua talentosa esposa, Esther, fosse responsável pelas questões do lar, sabemos das cartas que Timothy escreveu enquanto serviu brevemente como capelão no exército, que nenhum detalhe doméstico era insignificante demais para escapar de sua supervisão ("Tomem o cuidado de que... a porta do celeiro não seja deixada aberta para o gado"). Administrava sua igreja da mesma maneira, avaliando meticulosamente a condição espiritual de cada candidato a se tornar membro de comunhão plena, e sempre esperando que todos se submetessem à autoridade legítima. Timothy amava carinhosamente seus filhos, mas esse amor era como o de um microadministrador. Ele tinha as mais elevadas expectativas para seu único filho. O pai cuidadoso era um excelente professor de latim e grego, as línguas necessárias para entrar na faculdade. Jonathan era um estudante nato, e suas aptidões admiráveis devem ter satisfeito imensamente a seu pai.

Piedade

Jonathan era tão intelectualmente precoce que atendia às exigências de um pai perfeccionista, mas, em outro aspecto, ele quase nunca podia satisfazer a essas expectativas. Nada importava tanto quanto o estado da alma de uma pessoa. A preocupação era urgente – morte repentina podia acontecer a qualquer momento. Toda criança se lembrava de amigos que haviam morrido. Quem estava preparado? Os pais lembravam aos filhos, desde bem cedo, que até a maior erudição, a aclamação e o sucesso mundanos valiam nada, se o coração de uma pessoa estivesse em alguma outra coisa senão em Deus mesmo. Aqueles que serviam a si mesmos e ao sucesso seriam condenados a sofrerem miseravelmente no inferno, por toda a eternidade, conforme a Bíblia ensinava.

Porém, na Nova Inglaterra calvinista, nenhuma quantidade de esforços poderia merecer o céu. A salvação era somente pela graça de Deus. Para protestantes rígidos, como os calvinistas, este era o princípio mais básico que os separava dos católicos. Também os separava daquilo que viam como protestantes mais relaxados (chamados frequentemente "arminianos"), os quais, eles acreditavam, haviam introduzido a ideia de que todas as pessoas teriam o poder de fazer algumas boas obras, as quais contribuiriam para a salvação. Os calvinistas, ou os estritamente "reformados", queriam dar a Deus todo o crédito. Jesus dissera: "Importa-vos nascer de novo" (Jo 3.7). E, ser nascido de novo, como ressaltavam os calvinistas, não era algo que alguém fazia por si mesmo. Nenhuma quantidade de ensino ou de esforço poderia criar um coração que amasse verdadeiramente a Deus.

Ao mesmo tempo, os puritanos na Nova Inglaterra não ficavam simplesmente quietos à espera de que a graça de Deus interviesse, enquanto, nesse ínterim, aproveitavam a vida. Satisfazer aos próprios desejos poderia endurecer o coração de uma pessoa contra Deus. E hábitos piedosos, embora não conseguissem méritos, poderiam preparar alguém para se abrir para a graça de Deus. Esses exercícios poderiam também remover do caminho alguns obstáculos, como amor aos pecados, que cegavam muitos que buscavam a Deus. Habitantes piedosos da Nova Inglaterra, como a família de Edwards, apesar de sua ênfase sobre a graça, insistiam em boas obras tanto quanto outras pessoas. Viviam sob disciplina rígida da lei e práticas de piedade. Toda criança sabia os Dez Mandamentos e era ensinada a observá-los ao pé da letra, tanto quanto fosse humanamente possível. Todo dia e toda refeição começavam e terminavam com as orações e devoções pessoais ou da família.

Essas rotinas poderiam ser entediantes e ter um efeito negativo. Benjamin Franklin é, outra vez, uma boa ilustração. Tendo uma mente sempre prática, o menino achava enfadonhas as longas e repetitivas orações da família. Então, para ganhar tempo, ele sugeriu ao pai que abençoasse de uma só vez todo o barril de peixe salgado, em lugar de orar sobre o peixe cada vez que era servido. O pai de Benjamin, um negociante sábio e piedoso, tinha esperanças de que seu brilhante filho mais novo entrasse no ministério e o enviou, por um tempo, para a escola de latim, o primeiro passo em direção a Harvard. Depois de um ano o retirou, alegando pressões financeiras de uma grande família. A mudança de pensamento do jovem cético, se não foi a causa da mudança em curso, logo confirmou que ele nunca faria parte do clero ortodoxo.

O menino Jonathan era piedoso, de várias maneiras. Por alguns meses na idade de nove anos, ele foi excessivamente piedoso, construindo nas florestas um esconderijo secreto para oração. No entanto, Jonathan podia também ter problemas, como qualquer menino, ficando impaciente com os intermináveis rituais religiosos. Ele achava entediante os longos cultos da igreja. Além disso, Jonathan parecia estar sob o encanto de seu pai admirável. Ele queria, mais do que tudo, agradar aos pais com evidências de verdadeira religião. Quando Jonathan tinha 12 anos, Timothy Edwards supervisionou um estimulante avivamento em sua igreja, um de vários avivamentos durante seu ministério, e Jonathan escreveu entusiasticamente para uma de suas irmãs, contando os resultados. Ainda assim, ele mesmo, a despeito de seus melhores esforços, não mostrava o amor de coração a Deus, o que seria um sinal de verdadeira conversão.

Intelecto

Mais tarde naquele ano, Jonathan entrou na faculdade, quando completava treze anos. Era mais novo do que um aluno normal, mas esse começo juvenil não era incomum, visto que a única exigência para ingressar na faculdade era habilidade em latim e grego. Quando Jonathan começou a faculdade, a "Escola Colegiada de Connecticut" operava em três lugares, sob a direção de três tutores. Jonathan foi para Wethersfield, não muito longe de casa, onde o tutor era seu talentoso primo Elisha Williams. No quarto ano de estudos de Edwards, a faculdade tinha se consolidado em New Haven e fora renomeada Yale. Jonathan completou seu bacharelado em New Haven e, depois, permaneceu por mais de um ano para fazer seu mestrado, sob a direção do novo reitor formidável, Timothy Cutler.

Como um brilhante e inquisitivo adolescente, Jonathan lutou com as questões mais intelectuais de seus dias, e essas inquirições intensas moldaram sua percepção para toda a vida. Quando chegou a New Haven, a recém-adquirida biblioteca de Yale lhe deu acesso aos livros que estavam fomentando uma revolução intelectual que abalava os alicerces do mundo ocidental. Durante o meio século anterior de revolução científica, melhor simbolizado por Isaac Newton (1642-1727), a maneira como muitas pessoas viam as coisas mudara. Entre muitos pensadores importantes, os princípios científicos, baseados na razão e na descoberta de leis naturais, estavam se tornando o modelo para a verdade em todas as áreas. Na filosofia, a figura mais influente foi John Locke (1632-1704), que escreveu sobre as leis naturais que governam o modo como sabemos as coisas e sobre as leis naturais nas quais o governo deve se fundamentar. Newton e Locke eram ambos ingleses. E devemos lembrar que os colonos na Nova Inglaterra ainda pensavam de si mesmos como ingleses. Homens inquiridores, como Jonathan Edwards em New Haven ou Benjamin Franklin em Boston, que haviam sido criados na teologia do protestantismo dogmático, tinham de enfrentar maneiras de pensar desconcertantemente novas.

Jonathan se deparou com essas ideias em uma atmosfera mais controlada, mas o reconhecimento que fez de suas implicações parece ter criado uma luta mais dolorosa do que o fez com Benjamin quando jovem. Este sempre esteve pronto a descartar qualquer jugo que o restringisse. Jonathan, moldado como o era por uma família intensa e zelosamente piedosa, era temperamentalmente disposto a manter-se apegado à herança dos que amava, mas isso constituiu-se num desafio intelectual ainda mais intenso. Mais tarde, ele lembrou que, durante os anos de adolescência, quando se deparou pela primeira vez com os escritos de John Lock, os estudou com o entusiasmo do "mais cobiçoso avarento ao juntar punhados de ouro e prata de algum tesouro recém-descoberto".

Mesmo antes de ler os autores modernos, Jonathan lutara com as objeções padrões aos paradoxos de sua herança calvinista. Particularmente, ele escreveu depois:

desde a minha infância, a minha mente estivera acostumada a ficar cheia de objeções contra a doutrina da soberania de Deus em escolher a quem ele quis para a vida eterna e rejeitar a quem lhe aprouve, deixando-os a perecer eternamente e serem atormentados para sempre no inferno. Isso costumava me parecer uma doutrina horrível.

Essas questões não eram novas – apareceram repetidas vezes na história do cristianismo. Se Deus era todo-poderoso e bom, como poderia ele permitir o mal? Por que Deus permitiria que algumas criaturas fossem punidas eternamente? Em especial, se, como os calvinistas ensinam, a salvação está baseada totalmente na graça de Deus e não nos méritos de alguém, como poderia ser que um Deus justo e bom escolheu, desde a eternidade, redimir algumas pessoas e permitir que outras sejam condenadas? Os calvinistas e seus antecessores na tradição de Agostinho (354-430) argumentavam que todas essas doutrinas eram ensinadas claramente no Novo Testamento, porém muitos outros na história da igreja levantaram as mesmas objeções do jovem Jonathan. Tornando o desafio mais intenso, Jonathan cresceu num tempo em que era moda, para muitos dos mais educados, questionarem e revisarem tradições dogmáticas à luz do novo conhecimento que celebrava as capacidades naturais do homem para conhecer a verdade e viver moralmente. Na Inglaterra, onde ainda eram vívidas as memórias do breve governo dos puritanos duas gerações antes, os pensadores mais sofisticados tinham como normal a rejeição do calvinismo.

Para Jonathan, essas questões eram muito mais do que teorias abstratas. Tudo na vida dependia delas. E, acima de tudo, não importando quais fossem suas dúvidas e a condição de seu coração, ele estava convencido de que seu destino eterno estava em jogo. Os riscos eram inacreditavelmente elevados. Até muitos dos cristãos liberais da época ainda acreditavam em algum tipo de céu e de inferno. Edwards sempre se perguntou como pessoas que afirmavam tais crenças podiam tratá-las com leviandade. Se alguém avaliasse a felicidade ou o tormento eterno em contraste com qualquer amor ou interesse terreno, não haveria comparação. Ele deveria estar disposto a renunciar tudo, se isso ameaçasse o seu estado *eterno*.

Como um rapaz, Jonathan agonizava muito profundamente a respeito do estado de sua alma, porque isso tinha implicações emocionais profundas em relação à sua família. Seus pais, Timothy e Esther, insistiam em que seu destino eterno era mais importante do que qualquer outra coisa. Algumas de suas irmãs pareciam mais genuinamente cristãs do que ele, ansiavam muito por sua salvação e mantinham isso como assunto de suas orações. Jesus dissera que "ninguém há que tenha deixado casa, ou mulher, ou irmãos, ou pais, ou filhos, por causa do reino de Deus, que não receba, no presente, muitas vezes mais e, no mundo por vir, a vida eterna" (Lc 18.29-30). Para Jonathan, essas afirmações tinham implicações paradoxais: achar amor verdadeiro por Jesus seria uma maneira de satisfazer às mais afetuosas esperanças de seus pais.

Conversão

A luta mais intensa aconteceu no seu último ano em Yale, quando Jonathan foi tomado por uma doença violenta, pleurisia ou desordem torácica, e acreditava que ia morrer. Era, ele escreveu depois, como se Deus "me balançasse sobre o abismo do inferno". Jonathan fez o que qualquer pessoa de 16 anos pode fazer quando se depara com a morte: prometeu emendar seus caminhos. Logo depois de sua recuperação, ele achou que caíra "de novo em meus velhos caminhos de pecado". No entanto, desta vez, parecia que Deus não o deixava descansar. Jonathan teve

> grandes e violentas lutas interiores: somente depois de muitos conflitos com inclinações ímpias, resoluções repetidas e obrigações colocadas sobre mim mesmo como um tipo de voto a Deus, fui trazido ao rompimento pleno com todos os meus caminhos ímpios e todos os caminhos de pecado exterior conhecido e a aplicar-me na busca da minha salvação.

Este esforço heroico de autoaprimoramento, sabemos de seu diário de dois anos depois, teve sérios altos e baixos. Ajudou a remover alguns obstáculos, mas não trouxe a alegria de uma mudança de coração. Apesar disso, como depois ele descreveu usando uma linguagem calvinista, Deus começou a operar de maneiras que não eram resultado direto dos esforços de Jonathan.

Primeiramente, de maneira admirável, suas persistentes objeções à soberania de Deus desapareceram repentinamente. Jonathan lembrava a ocasião vividamente, mas, por longo tempo, não conseguiu vê-la como uma obra especial do Espírito de Deus. Em vez disso, parecia uma descoberta intelectual que resolvera inúmeras questões intelectuais inter-relacionadas, nas quais ele estivera profundamente absorto. Como muitos outros grandes pensadores na época imediatamente após a revolução newtoniana na ciência natural, Edwards estava tentando entender como tudo no universo se encaixava. Para ele, tudo se harmonizou quando chegou a compreender que o tema central de sua própria herança – a soberania de Deus – poderia ser a solução para achar o grande esquema de coisas. A soberania de Deus havia sido um problema para Edwards porque ele havia *subestimado* as suas terríveis implicações.

Edwards passou a ver que o universo era essencialmente pessoal, uma emanação do amor e da beleza de Deus, de modo que tudo, até a matéria inanimada, era uma comunicação pessoal de Deus. Portanto, em contraste com muitos contemporâneos, como Franklin, que viam as leis de movimento de Newton como algo que provia o modelo para se entender um universo essencialmente impessoal, Edwards começou com um Deus pessoal e soberano, que se expressava até no relacionamento sempre mutável de cada átomo com outro átomo. Este discernimento dramático seria a chave para todo outro aspecto de seu pensamento. Como um matemático que descobrira uma solução elegante para um problema imenso, Edwards foi cativado pela beleza do discernimento. Passou a achar a doutrina da soberania de Deus "uma convicção prazerosa".

Correspondendo ao descobrimento intelectual, houve o começo de experiências dramáticas que eram perceptivelmente espirituais. Nelas, Edwards era tomado por "um novo senso, bem diferente de qualquer coisa que experimentei antes". Este novo senso era um "tipo de deleite interior e prazeroso em Deus e nas coisas divinas". Essas experiências, que se repetiram durante a sua vida, estavam relacionadas claramente com sua descoberta intelectual. Uma vez que ele entendeu a grandeza, a bondade e a glória de Deus em termos bastante amplos, começou a ter encontros emocionais com a beleza de Deus, os quais mudaram a sua vida. Essas poderosas experiências de beleza poderiam vir, como na primeira vez, apenas por meditar num versículo da Escritura, 1Timóteo 1.17, que falava da grandeza e de glória de Deus. Ou poderiam surgir enquanto ele contemplava "a amabilidade e a beleza de Jesus Cristo". Ou ele poderia ser impressionado enquanto caminhava sozinho nos campos, considerando as obras da criação, o sol, a luz, árvores, flores ou até o trovão. Ele via cada uma destas coisas como parte da linguagem de Deus. Eram "tipos" ou figuras incluídas na criação, que apontavam para os atributos de Deus e, em última análise, para o amor de Cristo.

Durante o primeiro ano e meio após o começo dessas experiências, Jonathan estava no último ano do bacharelado em Yale e, depois, permaneceu lá para obter seu mestrado. Em agosto de 1722, depois de seu primeiro ano de mestrado (residir lá não era exigido), ele deixou New Haven para servir como pastor temporário de uma pequena Igreja Presbiteriana, constituída principalmente de pessoas da Nova Inglaterra que moravam em Nova Iorque. Tendo apenas 18 anos quando chegou, apaixonou-se pelo pequeno, mas florescente porto localizado na ponta da ilha de Manhattan. Seu amor estava intimamente ligado à família com a qual morou. Madame Susan Smith era uma viúva da Inglaterra, e Jonathan se tornou muito apegado tanto a ela como a seu filho John, que era da mesma idade. Como em todos os seus relacionamentos mais íntimos,

Jonathan amava John como uma alma gêmea espiritual. Os dois rapazes andavam pelas áreas desabitadas de Manhattan, observando as belezas do rio Hudson e (como Jonathan lembrou mais tarde) falando frequentemente do reino vindouro de Deus e das glórias a serem esperadas na terra nos últimos dias.

A despeito de suas experiências dramáticas e dos discernimentos dessa época, que mudaram sua vida e estabeleceram a base para sua percepção madura, o progresso espiritual de Jonathan era também uma luta. Leal à sua herança puritana e aos ensinos de seu pai, sua conversão, como ele a experimentou, não foi uma transformação da qual poderia mencionar o dia e a hora, como no evangelicalismo posterior. Ainda assim, Jonathan se preocupava com o fato de que o processo não seguiu os passos exatos que seus antepassados haviam identificado. Apesar da intensidade das experiências que teriam satisfeito a muitas pessoas, Jonathan continuava em "grandes e intensas lutas interiores" para purificar seus erros, de modo a provar para si mesmo que sua transformação era genuína.

Enquanto esteve em Nova Iorque, ele escreveu um conjunto de resolução estritas e começou a manter um diário que acompanhava seus esforços cotidianos para cumprir tais resoluções. Outra vez, podemos ver tanto um paralelo quanto um contraste com Benjamin Franklin, que, de modo semelhante, estabelecera para si uma lista de "virtudes" para que pudesse obter bons hábitos. As virtudes de Franklin visavam à realização pessoal; as de Edwards visavam subjugar sua vontade à de Deus. Como ele disse na Resolução 43: "Resolvi que a partir de hoje, até que eu morra, nunca mais agirei como se, de algum modo, pertencesse a mim mesmo, mas como se pertencesse inteiramente a Deus". Suas resoluções específicas incluíam renunciar o orgulho e a vaidade e tentar obter disciplina rígida em comer e beber, não falar mal dos outros e cultivar paciência e serenidade em lugar de ansiedade. Mesmo quando Jonathan resolveu renunciar seus desejos autocentrados em favor da glória de Deus em todos os momentos, ele não viu essa renúncia dos desejos naturais como algo contrário ao seu interesse pessoal supremo. Em vez disso, Jonathan estava tentando viver na perspectiva da eternidade. Nenhum sacrifício de tempo, energia ou desejo neste mundo poderia se comparar com as alegrias infindas daqueles que estavam unidos com Deus para sempre.

Uma coisa era fazer uma lista meticulosa e impressionante de resoluções, outra coisa era cumpri-la. Sabemos isto do diário de Jonathan, no qual ele relatou seus esforços quase regularmente durante um ano ou dois. Embora ele tenha anotado os auges espirituais que lembrou posteriormente, seu diário também registra muitos dias de desânimo, "declínio" e tempos prolongados de incapacidade de focalizar-se nas coisas espirituais. Às vezes, ele ficava distraído e desconcertado por sua incapacidade de controlar totalmente suas paixões, embora fosse bem cuidadoso em referência a essas coisas. Suas mudanças emocionais durante um tempo de intensidade espiritual específico sugerem um padrão para toda a vida. Posteriormente, Edwards descreveu a si mesmo como alguém, às vezes, inclinado à "melancolia", algo parecido com o que chamaríamos de uma forma branda de depressão. Mais tarde na vida, às vezes, ele se sentia tão fraco, que era quase incapaz de encarar outra pessoa socialmente. Ele superava essas dificuldades por meio de disciplinas estritas: manter suas rotinas de oração e estudo devocional das Escrituras e seguir suas resoluções contra o desperdício de qualquer tempo. Edwards se esforçava para vencer seus acessos de melancolia.

Embora pregar toda semana na cidade de Nova Iorque deva ter aumentado as pressões de sua vida, o tempo de Jonathan ali chegou ao fim mais rapidamente do que teria desejado. Quando deixou a cidade em abril, ele "teve a mais triste despedida com Madame Smith e seu filho". À medida que o navio se afastava da cidade, Edwards a manteve em vista enquanto pôde e continuou a anelar por ela "com um tipo de melancolia misturada com doçura".

Edwards passou um longo e difícil verão em 1723, no lar, com os pais, se questionando a respeito do que deveria fazer em seguida e esperando por uma chamada de retorno a Nova Iorque. Nesse ínterim, ele teve de preparar um discurso para a cerimônia de formatura em Yale, em setembro, quando receberia seu diploma de mestrado. Aquilo seria um tipo de estreia perante o clero de Connecticut, e Edwards estava ansioso, tanto por ser bem sucedido quanto para que o discurso fosse visto como evidência de sua ortodoxia. Em seu tempo livre, ele trabalhou no aprimoramento de um ensaio que escrevera sobre as suas intrigantes observações das aranhas voadoras, esperando que fosse publicado pela Sociedade Real, o grande corpo científico da Inglaterra presidido por Isaac Newton. Como muitos dos grandes pensadores dessa era que foram tão influenciados pela obra de Newton, Edwards sempre teve um interesse em ciência natural. Em sua juventude, esse era um dos seus passatempos favoritos. Em seus cadernos, ele mantinha observações sobre as implicações das teorias de Newton a respeito da luz e anotações sobre como a nova física poderia se harmonizar com a soberania de Deus. Suas observações sobre aranhas que podiam flutuar graciosamente no ar eram seu esforço para sobreviver em ciência empírica. Embora a obra de Edwards fosse valiosa, a maioria de suas observações naturais haviam sido antecipadas pelo naturalista inglês Martin Lister (fato desconhecido por Edwards); por isso, o ensaio do jovem colonial não foi publicado.

Jonathan ambicionava servir a Deus de alguma maneira dramática. Mesmo sendo apenas de 19 anos, já formulara planos de escrever alguns grandes tratados sobre assuntos teológicos e filosóficos. Começou a manter cadernos expansíveis de "miscelâneas", o que ele continuaria pelo resto da vida, para esboçar seus pensamentos sobre determinados tópicos. Também começou outros cadernos de pensamentos sobre interpretação da Escritura e profecia. Em um de seus primeiros cadernos, ele escreveu algumas regras para o ato de escrever. As regras incluíram observações reveladoras de que "o mundo esperará mais modéstia por causa de minhas circunstâncias – na América, jovem, etc." – e que as pessoas são invejosas de "jovens bem sucedidos". Planejando ser um jovem bem sucedido, Edwards também meditava sobre como poderia ter seus escritos publicados em Londres.

Sua preocupação mais imediata durante o verão de 1723 era quanto ao lugar de onde deslanchar sua carreira. Retornar a Nova Iorque era a sua primeira escolha, mas essa possibilidade se desvanecia. Ele até, em algum momento, contemplou uma viagem a Londres (o que teria ocasionado outro paralelo com Franklin, mas o pai de Edwards temia a corrupção da cidade do

Velho Mundo. Um pastorado estava disponível em North Haven, próximo a New Haven e a Yale, e Jonathan também nutria esperanças quanto a isso. Entretanto, seu pai estivera influenciando-o em direção a aceitar um convite de uma pequena igreja interiorana em Bolton (Connecticut), a uns 40 quilômetros de East Windsor. Não era uma escolha atraente para um rapaz que aspirava ter parte no pensamento cosmopolita da época. Por fim, em novembro, quando nada mais apareceu, Jonathan assumiu, relutantemente, o compromisso para ser pastor em Bolton. O sonho de Nova Iorque acabara, e ele se estabeleceu numa paróquia interiorana.

CAPÍTULO TRÊS

Transições e Desafios

O povoado do interior de Bolton (Connecticut) era bem distante de Nova Iorque. O inverno de Jonathan entre os fazendeiros ianques encrenqueiros, depois da empolgação de sua estadia na cidade grande, foi de insatisfação. No entanto, em outra ocasião para seu temperamento oscilante, a primavera trouxe alegria incomum. Sua única menção posterior de Bolton foi uma recordação de "ter uma ocasião especial de doçura incomum: particularmente uma vez em Bolton, em uma jornada a partir de Boston, caminhando sozinho pelos campos". Sabemos de seus cadernos, em que ele refletiu sobre "Imagens das Coisas Divinas", que suas sensibilidades espirituais eram frequentemente renovadas por experiências fascinantes das belezas da natureza como tipos ou imagens do amor de Deus em Cristo. Ele escreveu: "Quando nos deleitamos com as campinas cheias de flores e as brisas suaves, podemos considerar que vemos apenas as emanações da amorosa benevolência de Jesus Cristo; quando contemplamos as rosas e os lírios perfumados, vemos o amor e a pureza de Cristo." Árvores verdes e campos e o cantar dos pássaros eram "emanações da sua infinita alegria e benignidade". "Essa belíssima luz com a qual o mundo se enche num dia bem claro é uma sombra vívida da sua imaculada santidade, deleite e felicidade em comunicar a si mesmo."

New Haven

Esta viagem a partir de Boston deve ter acontecido em maio, quando os ministros da Nova Inglaterra se reuniam para o Dia de Eleição, e a renovação da alegria espiritual de Jonathan deve ter sido inflamada pelo conhecimento de que em breve deixaria Bolton. Ele recebeu uma indicação para ser um tutor na faculdade Yale. Retornar àquela instituição, com sua biblioteca impressionante, e a um lugar onde seria outra vez socialmente visível, deve ter sido uma perspectiva atraente para o ambicioso e erudito jovem de 21 anos.

Jonathan tinha outra razão para se regozijar com a perspectiva de mudar-se para New Haven. No outono anterior, ele havia escrito um afetuoso poema em prosa para uma moça, Sarah Pierpont, cujas belezas espirituais ele admirava. Jonathan escreveu:

> Dizem que há uma moça em [New Haven] que é amada do Ser todo-poderoso, que fez e governa o mundo, e que há certas épocas em que este grande Ser, invisível de

uma maneira ou de outra, vem até ela e enche sua mente com deleite sobremodo agradável, e que dificilmente ela se preocupa com qualquer coisa, exceto meditar nele.

Suas meditações seriam "depois... focalizadas no céu", onde ela se "deleitaria com o amor, o favor e o prazer de Deus". Esta comunicação com Deus e contemplação da eternidade davam à moça "uma doçura maravilhosa, tranquilidade e benevolência de mente", de modo que ela não era tentada pelos tesouros do mundo, nem ficava temerosa do sofrimento terreno.

Aparentemente, Jonathan escreveu este retrato idealizado de Sarah na página branca de um livro que lhe deu de presente, quando ela tinha apenas 13 anos e ele, 19 anos. Sarah era filha do falecido Rev. James Pierpont, e as duas famílias de ministros podem ter sido íntimas. A casa de Pierpont era do outro lado do New Haven Green, partindo de *Yale College*. Jonathan era também amigo do irmão mais velho de Sarah, James Pierpont, que era, às vezes, um tutor em Yale. Por isso, Jonathan teve muitas oportunidades de observar a espiritualidade da moça que ele idealizava e admirava.

Qualquer euforia que Jonathan possa ter experimentado em mudar de volta para New Haven teve, na verdade, vida curta. As faculdades coloniais tinham temporadas de verão e formaturas em setembro; por isso, o jovem tutor foi imediatamente colocado na função não somente de ensinar e ouvir recitações todo dia, mas também de manter a ordem. Os alunos, cuja idade abrangia desde os 13 até aos 20 anos, tendiam a ser insubordinados, e Jonathan nunca tivera o melhor relacionamento com pessoas que eram ásperas, irreverentes ou que desafiavam as autoridades. Suas responsabilidades eram especialmente difíceis em Yale, visto que a faculdade não tinha um reitor residente mais velho para manter as coisas em ordem. Dois anos antes, para grande consternação de muitos da Nova Inglaterra, o erudito reitor de Yale, o Rev. Timothy Cutler, anunciara que estava se unindo à Igreja Anglicana. A maioria dos congregacionalistas da Nova Inglaterra ainda era muito achegada às suas raízes puritanas e via um anglicano como um inimigo. Por isso, não havia dúvida de que Cutler tinha de renunciar. Para tornar as coisas piores, os membros do conselho de Yale não foram capazes de achar um substituto apropriado. Embora o clero local ajudasse a supervisionar a faculdade, Jonathan e seus colegas tutores agiram muito por conta própria.

Em setembro de 1724, Jonathan se esgotou espiritualmente, chegando de repente à pior e mais demorada crise religiosa de sua vida. O período de formatura era quando os rapazes de faculdade ficavam mais à vontade. No ano anterior, os conselheiros inquiriram os alunos por causa de vidros quebrados nos dormitórios e estabeleceram multas para "qualquer perturbação pública por gritarem, cantarem e baterem o sino irracionalmente, dispararem revolveres ou coisas semelhantes". Por volta desse tempo, Jonathan registrou que "Cruzes dessa natureza, que enfrentei nesta semana, me lançam debaixo de todos os confortos do cristianismo". Independentemente do que acontecesse, ele não estava espiritualmente preparado para aquilo, e três semanas depois anotou que algo relacionado com a formatura tinha "sido a ocasião de meu tão grande abatimento". Somente três anos depois, sentiu realmente que havia se recuperado dessa infelicidade.

Não sabemos qual foi a natureza da crise ou se os problemas relacionados ao período de formatura foram a *causa* dos problemas de Edwards ou apenas a *ocasião* para a crise. Muito tempo depois, ele se referiu a esta crise como "algumas preocupações temporais, que absorveram excessivamente meus pensamentos, afligindo muito a minha alma". Isso poderia sugerir algum problema grande e persistente, mas não podemos ter certeza.

Há uma possibilidade – embora seja pura especulação – de que a crise tivesse algo a ver com a sua corte da jovem Sarah Pierpont. Temos somente alguns poucos fatos concretos. Jonathan já estava interessado em Sarah quando escreveu seu tributo espiritual, aparentemente em 1723, o ano anterior à sua mudança de volta para New Haven. Por volta de maio ou junho de 1725, ele e Sarah ficaram noivos, para se casarem dali a dois anos. Sarah tinha apenas 15 anos quando ficou noiva. Embora 17 anos fosse idade abaixo da média da Nova Inglaterra para mulheres se casarem, não estava fora dos limites do que era apropriado. Também não era, aparentemente, um noivado muito cedo, visto que as duas famílias estavam de acordo. No entanto, algum tipo de corte ou, pelo menos, amizade, começara antes do noivado e poderia bem ter sido no outono de 1724, quando Sarah tinha apenas 14 anos. Por mais espiritual que tenha sido esse relacionamento anterior, a transição para o noivado deve ter enfrentado um começo difícil – ou, pelo menos, a desaprovação de outros.

Uma vez que o noivado foi aprovado no inverno de 1725, o relacionamento pode ter sido uma distração das coisas espirituais. Temos de lembrar o alto nível dos padrões espirituais de Edwards. No seu ponto de vista, toda questão material deveria apontar para um significado mais elevado. Durante seus anos de noivado, ele escreveu várias meditações notáveis sobre esses temas em seus extensos cadernos intitulados "Miscelâneas", indicando que, pelo menos às vezes, ele tinha vislumbres das realidades celestiais que buscava.

Uma dessas meditações nos dá uma indicação do seu relacionamento anterior com Sarah. "Uma das melhores e mais belas" maneiras, escreveu ele, "de expressar uma doce harmonia de pensamento um com o outro, é por meio da música". Para Jonathan um relacionamento social estava "no grau mais elevado de felicidade" quando as pessoas "expressavam seu amor, suas alegrias e concordância interior e harmonia de beleza espiritual de suas almas por cantarem docemente um para o outro". Cantar juntos era uma antecipação da comunhão perfeita das almas no céu.

Qualquer que tenha sido o relacionamento crescente deles, Jonathan se lembrava frequentemente que amores terrenos devem sempre apontar para o amor redentor de Cristo. Em outra anotação do mesmo tempo, ele comentou, sem dúvida pensando em Sarah, que "aparência e gestos belos" nos fazem pensar imediatamente "que a mente que reside no interior é linda". Edwards, como já vimos, achava que o mundo estava cheio de sinais que apontavam para realidades superiores; portanto, imediatamente, essa observação de que aparência ou gestos belos sinalizavam um lindo espírito interior o lembrou de uma verdade ainda mais elevada: as belezas do universo são sinais da beleza ou das excelências de Cristo. "Quão fortemente somos inclinados para o sexo oposto!", ele escreveu depois, no inverno de 1725. "Nem o amor elevado e fervoroso impede isto, mas, pelo contrário, refina-o e purifica-o". Aqui, a lição espiritual era que "Cristo tem uma natureza humana" e experimentou amor pelos outros seres humanos. Para Cristo, esse amor era "para com a igreja, que é sua esposa". A igreja como "a noiva de Cristo" era uma das figuras bíblicas favoritas de Edwards. Entre os seus livros favoritos da Bíblia, estava o Cântico dos Cânticos, também conhecido como Cântico de Salomão, que está na forma de celebração poética das belezas terrenas dos amantes, e era convencionalmente interpretado nos dias de Edwards como uma figura ou tipo do amor de Cristo por sua igreja.

Em uma anotação, escrita por volta de janeiro de 1726, Jonathan refletiu sobre o contraste entre o amor terreno e o celestial. "Quão rapidamente os amantes terrenos chegam ao fim de suas descobertas da beleza um do outro; quão rapidamente veem tudo que devia ser visto", ele escreveu. Depois de haverem se tornado "tão próximos quanto possível e terem comunhão tão íntima quanto possível", logo percebem que "nenhuma nova maneira pode ser inventada, dada ou recebida" para expressarem seu amor. O amor celestial, por contraste (e também em contraste com uma imagem comum do céu como um tipo de euforia fixa), será um amor sempre crescente por Cristo, mudando e se tornando cada vez mais intimamente espiritual. Esta anotação sobre os limites do amor terreno, escrito mais de um ano antes de ele se casar, era muito comum na literatura para Jonathan ter conhecido apenas de segunda mão. Apesar disso, os padrões sobremodo elevados de espiritualidade, ascetismo e castidade, os quais ele mantinha para si mesmo e outros, podem nos deixar admirados quanto ao papel da atração sexual em distraí-lo da realização das elevadas expectativas espirituais que exigia de si mesmo. Seus padrões espirituais eram como os de um monge, mas, sendo leal aos princípios protestantes, ele perseguia seu ideal espiritual não em uma comunidade isolada, mas no mundo cotidiano e por meio de um compromisso para ser casado.

NORTHAMPTON

A vida de Jonathan sofreu outra mudança extraordinária durante essa mesma época. Seu avô, o Rev. Solomon Stoddard, estava ficando idoso. Stoddard, o mais renomado homem em todo a Nova Inglaterra ocidental, era o pastor de uma igreja na importante cidade de Northampton (Massachusetts), desde 1672. Aos 83 anos de idade, ele estava à procura de um auxiliar ou sucessor, e havia o rumor de que procurava especialmente entre vários de seus netos que eram ministros do evangelho. A candidatura de Jonathan para a posição pode ter sido protelada no outono de 1725, quando ficou extremamente enfermo e quase morreu. Mas, no outono de 1726, ele ganhou a tão buscada posição e se mudou para Northampton.

A posição que Jonathan ocupou em Northampton foi um negócio de família. No mundo britânico do século XVIII, do qual a Nova Inglaterra fazia parte, a maioria das coisas eram administradas por meio de redes hierárquicas familiares de dependências pessoais. Servos (incluindo escravos africanos na América) dependiam de seus senhores; mulheres e filhos eram dependentes de chefes masculinos de famílias; aprendizes eram sujeitos a seus mestres; os pobres dependiam da generosidade dos ricos, e famílias aristocráticas administravam a justiça e dominavam a política. Até os aristocratas eram, em última análise, dependentes do governador real, que, por sua vez, era dependente do rei. Na Nova Inglaterra, onde havia pessoas de nobreza, uma aristocracia natural surgira entre redes poderosas de família de clérigos e magistrados proeminentes. O clã associado com Solomon Stoddard era um exemplo supremo. Os filhos e netos de Stoddard eram casados com pessoas de outras famílias influentes, mais notavelmente a família dos Williams, de quem ouviremos mais, que, com seus aliados, administrava a maior parte da Nova Inglaterra ocidental por meio de uma série de redes pessoais.

Quando Jonathan se mudou para Northampton, ainda homem solteiro, no outono de 1726, tanto o seu avô quanto sua avó, Esther Stoddard, ainda estavam vivos; ele provavelmente morou com os dois numa casa enorme, que olhava de frente para a cidade. Na casa da família também vivia o segundo filho dos Stoddards, o coronel John Stoddard, que tinha 44 anos em 1726 (ele se casou finalmente e estabeleceu sua própria família em 1731), o mais poderoso magistrado na região. O apoio de John Stoddard para seu jovem sobrinho era quase tão importante quanto o de Solomon Stoddard. John era como um tipo de barão para a cidade. Ele era o juiz mais importante da região, o líder militar mais importante, um significante proprietário de terras, o representante da cidade mais frequentemente eleito para a Corte Geral de Massachusetts (legislatura), um membro frequente do Conselho do Governador e o principal leigo nos concílios de governo da igreja.

O casamento de Jonathan com a jovem Sarah Pierpont, em 28 de julho de 1727, foi um evento decoroso, apropriado à aristocracia da Nova Inglaterra, à qual ambos pertenciam. A única indicação existente quanto aos detalhes é um recibo comercial que Jonathan guardou, datado de 26 de janeiro de 1727, de Boston, para itens que incluía fivelas, luvas brancas e um alaúde. Essas coisas devem ter sido para o casamento e indicam que a ocasião incluía a execução de instrumentos musicais. Esse pequeno detalhe é digno de nota, visto que os congregacionalistas da Nova Inglaterra, leais à sua herança puritana, não usavam instrumentos musicais nos cultos da igreja. Também, em sintonia com essa herança, o casamento era uma cerimônia religiosa – enfatizando o seu afastamento da visão católica romana de que o casamento era um dos sacramentos – por isso, a música instrumental era apropriada. O lar dos Edwards logo se tornaria conhecido como um lugar de música e canto, e a própria Sarah pode ter tocado um instrumento, como o alaúde, como o faziam frequentemente as mulheres da época.

Durante seus anos como tutor, em meio a seus tumultos espirituais, Jonathan quase abandonou seu diário. O casamento, porém, parece ter precipitado uma mudança que ele julgou digna de registrar. Cerca de dois meses depois da cerimônia, Jonathan escreveu que, "por volta de três anos, tenho estado, na maior parte do tempo, numa condição e estado de desânimo e abatimento, miseravelmente insensível ao que costumava ser em relação às coisas espirituais". Ora, por volta da mesma época do ano correspondente à do desastroso período de formatura de 1724, ele se regozijou de que "comecei a ser o que costumava ser". Talvez o companheirismo espiritual com Sarah tivesse sido a chave para sua recuperação. Talvez o estado de casamento houvesse transformado seu desejo sexual, de ser uma distração espiritualmente desmoralizante para um dom de Deus a ser celebrado. Talvez a sua depressão espiritual estivesse relacionada à solidão e inseguranças de ser um tutor entre alunos ingratos. Ou talvez algumas de suas dúvidas sobre a teologia reformada persistissem, mesmo quando ele esboçava impressionantes defesas dessa teologia contra seus críticos iluminados. Não sabemos. Em qualquer caso, seu casamento levou a uma renovação do senso espiritual que era tão central em sua vida e pensamento.

O aristocrata John Stoddard assegurou-se de que a cidade tratasse o herdeiro natural e sua jovem esposa de acordo com seu *status*. John e Sarah receberam fundos suficientes para comprarem uma "casa enorme, com um celeiro e um terreno de três acres" na cidade, mas 10 acres para pasto e 42 acres distantes da cidade, que poderiam ser usados para que obtivessem renda adicional para um salário consistente. Depois de pouco mais de um ano, a casa (grande para época, mas não tão grande segundo os nossos padrões) começou a encher-se, quando nasceu a primeira filha, Sarah. Durante os próximos 22 anos dez filhos (sete moças e três rapazes) nasceriam, quase que em intervalos regulares de dois anos. Admiravelmente, nesse tempo de alta mortalidade em todas as idades, todos os filhos sobreviveram à infância.

Nesse ínterim, as responsabilidades de Jonathan aumentaram grandemente com a morte de Solomon Stoddard, em fevereiro de 1729. O patriarca, que viveu até aos 86 anos, manteve uma condição formidável até ao fim. Embora a visão estivesse falhando, a sua mente era saudável, e ele ainda era capaz de pregar eficazmente, sem anotações. Ele viera para

Northampton quase 60 anos antes. Portanto, não havia quase ninguém na cidade que conhecesse outra liderança além da de Stoddard. É difícil para nós hoje imaginarmos a influência que um ministro poderia produzir em uma cidade do interior da Nova Inglaterra, e, mesmo pelos padrões da época, Stoddard tinha poder incomum, fortalecido pela rede de magistrados e cleros familiares que o tornavam o principal porta-voz por toda a região. Ele tinha idade suficiente para lembrar os dias da comunidade puritana de Oliver Cromwell na Inglaterra, nos anos 1650, e reteve o ideal puritano de uma sociedade santa, na qual a igreja e os magistrados civis trabalhavam de mãos dadas para fomentar a verdadeira adoração e o comportamento justo. Em Northampton, Stoddard era respeitado e temido; às vezes, amado, às vezes, odiado. Sua supremacia não podia ser desafiada. Mais tarde, Jonathan escreveu que as pessoas de Northampton consideravam o seu avô "quase um tipo de divindade". Quando o grande homem morreu finalmente, seu neto ficou diante da gigantesca tarefa – na qual muitas pessoas capazes falharam – de seguir os passos de um antecessor formidável.

De maneira relevante para Jonathan, Stoddard não havia sido apenas um herói conservador que falecera; antes, ele deixara um legado de inovação controversa. Stoddard modificara algumas práticas convencionais puritanas – mas, como Jonathan via, simplesmente a fim de preservar a essência do legado puritano. As questões que Stoddard enfrentara, e que Jonathan teria de enfrentar no decorrer de seus anos em Northampton, se desenvolveram a partir de um tema central no puritanismo americano. Como vimos no capítulo 1, os puritanos pensavam que a verdadeira igreja deveria ser constituída apenas de crentes regenerados (examinados com cuidado). Todavia, como reformados que eram, tecnicamente falando, ainda ligados à Igreja da Inglaterra, os puritanos eram também herdeiros do ideal cristão, no qual "a igreja" incluía toda pessoa genericamente cristã numa paróquia. Os primeiros puritanos na Nova Inglaterra, apesar de seus ideais separatistas ou "sectários", mantiveram alguns elementos importantes do legado europeu de uma igreja "estabelecida": eles exigiam que toda pessoa em uma cidade frequentasse os cultos da igreja e sustentavam a igreja com impostos públicos.

Essa tensão se manifestava particularmente, em Northampton e outros lugares, quando chegava o tempo em que as crianças deviam ser batizadas. Na Inglaterra, antes da colonização americana, os puritanos censuraram a Igreja da Inglaterra por batizar todos os filhos nascidos "cristãos" na paróquia e confirmá-los rotineiramente, quando adultos, como membros em plena comunhão com a igreja, podendo participar dos sacramentos. Ao mesmo tempo, eles anelavam pela influência eclesiástica mais ampla oferecida por essa abordagem.

Para encurtar uma história longa, Solomon Stoddard, que entrou no ministério da igreja uns 40 anos depois dos primeiros assentamentos de colonos, inventou uma maneira de superar a tensão entre ideais que dificultavam a vida da igreja da Nova Inglaterra. Em Northampton, ele ampliou os padrões para alguém ser membro de comunhão plena para incluir todos os adultos que professassem as doutrinas da igreja, se submetessem à sua disciplina e prometessem viver moralmente. Esses padrões mais amplos significavam que dos cidadãos corretos de uma comunidade, a maioria, senão todos, provavelmente se tornariam membros de comunhão plena da igreja. Portanto, a cidadania da igreja e da cidade se tornaram mais ou menos equivalentes. Stoddard também aceitava um padrão mais amplo para o batismo, que já era adotado em muitas das novas cidades da Nova Inglaterra na época de sua entrada no ministério nos anos de 1670. Chamado "o pacto do meio termo", esse procedimento permitia que até os filhos de adultos que haviam sido batizados quando crianças, mas não eram membros comungantes da igreja, fossem batizados. Em outras palavras, a aliança de Deus, como os puritanos se referiam às promessas de Deus e da qual o batismo era um sinal, se estendia aos netos de crentes, bem como aos seus filhos. Por combinar o *pacto do meio termo* com os padrões mais amplos para a aceitação de uma pessoa como membro comungante, Stoddard reestabeleceu algo muito parecido com o velho sistema de paróquia do cristianismo.

As inovações de Stoddard em Northampton, que foram adotadas igualmente em muitas outras igrejas em Massachusetts, eram controversas e estabeleceram um debate que alcançou toda a colônia e durou por décadas. O principal crítico de Stoddard era Increase Mather (1639-1723), o ministro conservador mais influente de Boston, rivalizado apenas, em seus últimos anos, por seu filho e aliado íntimo, Cotton Mather. Para os Stoddards, os Mathers e os Edwards, o debate prolongado refletia a poderosa dinâmica familiar mencionada antes – com uma alteração. Em Northampton, Stoddard sucedeu o irmão de Increase Mather, o Rev. Eleazar Mather, que morreu quando estava no início dos seus 30 anos. Solomon Stoddard sucedeu Eleazar Mather em mais do que um aspecto, quando casou com a viúva dele, Esther Warham Mather Stoddard (ca. 1640-1736). Isso significou que a mãe de Jonathan Edwards, uma filha de Solomon Stoddard, tinha laços de parentesco com a família Mather. Para complicar a dimensão familiar do debate, o pai de Jonathan, Timothy Edwards, era íntimo dos Mathers e tomou o lado deles na controvérsia.

Embora os Mathers fossem os conservadores no debate, isso não fazia de Solomon Stoddard um liberal. Pelo contrário, ele era outro tipo de conservador, alguém que estava disposto a inovar para preservar o que acreditava ser a essência da tradição puritana. Nesse aspecto, ele foi o primeiro de uma extensa linha de inovadores protestantes americanos que eram conservadores, uma linha que incluía evangelistas que adaptavam prontamente a sua mensagem às exigências de novas audiências (e seus estilos a novas tecnologias). No caso de Stoddard, ele estava adaptando o legado puritano às necessidades de uma cidade de fronteira, no limite ocidental dos assentamentos coloniais. Em termos práticos, por manter as cidadanias da cidade e da igreja mais ou menos equivalentes, Stoddard aumentou sua autoridade sobre toda a cidade, tornando a maioria dos cidadãos sujeitos à disciplina da igreja. Sendo um puritano tradicional, ele acreditava que as comunidades cristãs nos tempos modernos tinham com Deus o mesmo relacionamento que Israel tinha nos tempos do Antigo Testamento. Se a comunidade guardasse as leis de Deus, seria abençoada. Se o desafiasse abertamente, seria punida por seus julgamentos. Portanto, quanto mais autoridade o pastor tivesse em supervisionar a moral da cidade, tanto melhor seria para cada pessoa.

Em acréscimo à dimensão autoritária da perspectiva de Stoddard, havia outro aspecto que estava mais relacionado à ênfase puritana sobre a graça do que ao seu interesse evidente pela lei. Stoddard acreditava, tanto quanto os primeiros puritanos, que o alvo da igreja era, por meio da graça de Deus, trazer as pessoas ao compromisso sincero com Deus – ou seja, à conversão. Ele só não acreditava que era necessário *ter certeza* de que as pessoas estavam nesse estado antes de terem a permissão de serem membros de comunhão plena e participarem da Ceia. O sacramento da Ceia do Senhor, ele acreditava, poderia ser uma "ordenança de conversão" ou a ocasião para uma transformação espiritual decisiva, como ele pensava que havia sido em sua própria experiência. Um padrão muito restrito para ser membro comungante da igreja poderia impedir algumas pessoas que buscavam verdadeiramente a Deus de participarem de um dos principais "meios de graça".

Para Stoddard, de mentalidade prática, fomentar conversões era mais importante do que descobrir uma ordem perfeita de igreja, e, com essa atitude, ele abriu o caminho para a prática mais influente na história religiosa da América: Stoddard foi o primeiro americano a fazer de avivamentos periódicos uma peça central de seu ministério. A cada década ou mais, a congregação de Stoddard em Northampton experimentava um "avivamento" notável, em que muitas pessoas eram persuadidas a ver a profundeza de sua necessidade espiritual, levando frequentemente à conversão e a uma nova perspectiva direcionada pelo Espírito Santo. Embora Stoddard tenha sido, na região, o mais bem sucedido pregador em promover esses avivamentos, não estava sozinho no empreendimento. Alguns desses avivamentos foram regionais, irrompendo em várias cidades ao mesmo tempo. E tiveram um impacto direto na família de Jonathan, enquanto ele crescia: seu pai, que rejeitava o *pacto do meio termo* mas aceitava os avivamentos, presidiu dois desses avivamentos em East Windsor. O que quer que os outros pensassem sobre a teoria de Stoddard, não podiam questionar os resultados que ele obteve. Em 1714, o idoso Increase Mather escreveu um prefácio para o último livro de Solomon Stoddard sobre evangelização, *A Guide to Christ* (Um Guia para Chegar a Cristo), indicando uma trégua entre os "irmãos" sobre questões não resolvidas a respeito da aceitação de membros na igreja.

No entanto, as discordâncias relacionadas ao *pacto do meio termo* que tinham dividido a família e a região permaneceram não resolvidas e teriam consequências importantes para Jonathan Edwards. Quando ele chegou a Northampton, era provavelmente mais inclinado a concordar com as opiniões mais restritas de seu pai e não com a política mais aberta de seu avô referente a membros comungantes. Entretanto, para o momento, parece que prevaleceu um acordo de tolerância. A oportunidade de unir-se ao seu avô e, depois, substituí-lo na maior igreja ocidental em Massachusetts era muito boa para Jonathan rejeitá-la; e parece que ele fez uma decisão de boa-fé para viver com uma política sobre a qual tinha alguns escrúpulos. Assim como para seu pai e para seu avô, a questão mais importante no ministério, para Jonathan, era ajudar a despertar pessoas para sua necessidade de crer apenas em Cristo.

CAPÍTULO QUATRO

Avivamento

Os avivamentos ocasionais na Nova Inglaterra e outros esforços para reviver a piedade foram parte de um movimento "pietista" internacional. A Nova Inglaterra do início do século XVIII não era apenas uma província remota da Grã-Bretanha, mas também um posto avançado numa cultura protestante europeia. O próprio puritanismo tinha sido a versão inglesa de um vigoroso movimento internacional calvinista ou "reformado" que trabalhara para ganhar toda a cristandade para a causa protestante. Na segunda metade dos anos de 1600, apesar de continuarem os conflitos entre católicos e protestantes, era claro que a Europa permaneceria dividida. Depois do fim da devastadora Guerra dos Trinta Anos, em 1648, o protestantismo se viu na defensiva ou, pelo menos, enfraquecido. Em algumas áreas, interesses católicos ressurgiram e protestantes sofreram perseguições. Em outras áreas, o protestantismo calvinista ou luterano era estabelecido como a igreja estatal. Na parte final do século, muito desse protestantismo patrocinado pelo Estado sofria de endurecimento das artérias espirituais, comum a causas que perderam seu vigor juvenil. Ser protestante era, às vezes, pouco mais do que uma lealdade à cultura dentro da qual as pessoas haviam nascido, e suas velhas tradições eram protegidas por códigos de ortodoxia confessional. Os pietistas sabiam que a combinação poderia ser letal.

O pietismo era um movimento espontaneamente organizado em todo o mundo protestante, de respostas comuns a essa perda de vitalidade. Embora se mantivessem, em geral, doutrinariamente ortodoxos, os pietistas enfatizavam a "religião do coração". O compromisso individual era a primeira maneira de autenticar a fé. Essa ênfase refletia uma tendência mais abrangente na cultura europeia, de começar a atribuir um valor sobre o "eu" individual como uma fonte para estabelecer a autenticidade. Tendências tão diversas como aquela estabelecida pelo filósofo René Descartes (1593-1650), com a famosa introdução: "Eu penso, logo, existo", para uma nova dependência que os governantes tinham do apoio popular de seus súditos refletiam os desenvolvimentos mais amplos do individualismo emergente. Essas novas ênfases no "eu", no indivíduo ou na pessoa estão associadas ao alvorecer da era moderna; e o pietismo era uma expressão religiosa desses primeiros impulsos modernos no sentido de valorizar a experiência.

A grande diferença da ênfase mais secular sobre o "eu" era que, quando os pietistas enfatizavam a experiência individual como a prova da fé, a sua experiência era mais essencialmente de dependência e não de independência ou autossuficiência. O pietismo se centralizava em atos de renúncia pessoal por devoção a Deus, em disciplinas e evidências espirituais da verdadeira espiritualidade expressa em obras de caridade e missões de sacrifício pessoal para socorrer os outros. Uma pessoa não possuía a capacidade natural de fazer esse bem e, em lugar disso, precisava ser transformada pelo Espírito Santo agindo em seu interior. A dinâmica frequentemente contagiante do movimento se desenvolveu dessa nova ênfase na obra do Espírito Santo, resultando em vidas perceptivelmente transformadas e marcadas por boas obras.

Por exemplo, um dos mais famosos dos líderes pietistas alemães, August Hermann Francke (1663-1727), propôs um "Grande Projeto para um Aprimoramento Universal em Todas as Ordens Sociais" e ficou amplamente conhecido por fundar um orfanato e instituições educacionais destinadas, em última análise, a aprimorar a ordem social. A influência de Francke também ilustra como o pietismo se desenvolveu como um movimento internacional. Ele publicou o primeiro jornal de sua região e manteve uma correspondência imensa com umas 5.000 pessoas, incluindo uma rede essencial de 400 correspondentes regulares.

O puritanismo inicial fora um dos precursores do pietismo, e os herdeiros do puritanismo no século XVIII, na Nova Inglaterra, tinham muito em comum com o mais novo movimento internacional. Um dos correspondentes de Francke era Cotton Mather, de Boston, o filho notável e auxiliar de Increase Mather. Cotton publicou incansavelmente sobre todo assunto imaginável e ajudou a manter os habitantes da Nova

Inglaterra em contato com os desenvolvimentos europeus. Mather, como Francke, estava constantemente propondo projetos para reformar tudo, como em sua famosa obra *Essays to Do Good*. Benjamin Franklin, tendo crescido na Boston de Mather, é visto frequentemente como um herdeiro secular desse zelo reformador. Aliás, isso ajuda a explicar por que mais tarde, durante o auge da influência internacional do pietismo nas colônias, Franklin se tornou amigo próximo do renomado evangelista britânico George Whitefield.

Avivamento em Northampton

A Northampton de Solomon Stoddard, que Jonathan Edwards herdou em 1729, havia sido um dos postos ocidentais mais avançados do pietismo internacional. Como Francke na Alemanha ou Cotton Mather em Boston, Stoddard aspirara transformar tudo na sociedade de acordo com os ditames da fé. Os pietistas enfatizavam frequentemente que pessoas de fé precisavam de comunidades locais como suas bases de operação. Northampton, com talvez mil habitantes, era uma dessas comunidades – pelo menos, em boa parte do tempo. Stoddard fora capaz de manter controle sobre a cidade como se fosse seu próprio domínio. Ele mesmo fora um porta-voz junto ao governo colonial em favor dos interesses de Massachusetts ocidental e, em suas últimas décadas, solidificou a influência política e jurídica de sua família, especialmente quando seu filho John emergiu como o aristocrata da cidade, o principal magistrado, líder militar e pilar da igreja. No que dizia respeito à supervisão moral em Northampton, as fronteiras entre igreja e autoridade civil eram difíceis de distinguir.

Tal sociedade estritamente ordenada, embora exibisse um potencial de ser uma comunidade pietista modelo, também estava destinada a produzir descontentamento. O fervor religioso nunca é passado facilmente de geração a geração. Jonathan escreveu posteriormente que as pessoas de Northampton nunca haviam "sido as mais felizes em temperamento natural". Pelo contrário, elas tinham sido, "desde quando posso lembrar, pessoas famosas por serem de espírito exaltado, fechadas e de temperamento difícil e turbulento". A volatilidade do perene descontentamento deles teve a sua contraparte oposta, nesta cidade de duas faces, nos avivamentos periódicos – quase como se as coisas ficassem tão más de vez em quando, que um senso coletivo da necessidade de se voltarem para Deus inundasse a cidade.

Entre os avivamentos, floresceram subculturas que ofereciam alternativas à cultura da igreja. As tavernas da cidade, das quais já havia três quando Jonathan chegou, eram centros sociais favoritos. Os puritanos permitiram bebidas alcoólicas, contanto que não fossem usadas com excesso, e as tavernas, que não exigiam mais do que uma sala e uma mesa para serem estabelecidas, eram uma parte natural de um povoado inglês. Agricultores e outros homens da cidade se reuniam ali para relaxar e conduzir negócios. Em tempos de descontentamento político, que eram frequentes em Northampton, as tavernas eram provavelmente os lugares onde se ouviria sobre isso.

No que diz respeito a Jonathan, o desafio mais formidável à piedade da igreja era uma cultura jovem bem desenvolvida, que se cruzava com a cultura da taverna. Uma questão prática que contribuiu para o fortalecimento dessa cultura jovem foi a postergação frequente do casamento: a *média* de idade subira para 29 anos, no caso dos homens, e 25, no caso das mulheres. A razão primária para protelarem o casamento era a escassez de terras. As cidades da Nova Inglaterra eram organizadas em bases comunais. Quase todos os habitantes da cidade moravam em pequenos lotes de terra e possuíam outras áreas de terras cultiváveis distribuídas ao redor da periferia. As famílias de Northampton tinham, em geral, de cinco a nove filhos; por isso, a população crescia rapidamente. Numa geração antes de Edwards chegar, o suprimento de terras desmatadas se esgotara. Portanto, no tempo de Edwards ali, os jovens casais estavam achando difícil estabelecer-se independentemente de seus pais.

Como resultado, um enorme grupo de jovens inquietos, em seus 20 anos, dominava a cultura jovem de Northampton. Jonathan comentou depois que, ao chegar na cidade, os jovens estavam fora de controle. Nos cultos da igreja, por exemplo, eles mostravam desrespeito ao outrora vigoroso Solomon Stoddard, que nesse tempo já estava enfraquecido e quase cego.

Apesar disso, mesmo nos últimos dias de Stoddard, Jonathan e os velhos patriarcas viram uma luzinha de esperança de avivamento. A ocasião foi um raro tremor de terra que abalou a Nova Inglaterra. No domingo à noite, 29 de outubro de 1727, um forte tremor derrubou chaminés e algumas paredes; e vários abalos posteriores incitaram temores de que Deus estivesse advertindo que juízos maiores poderiam vir. Os habitantes mais instruídos da Nova Inglaterra já entendiam que os terremotos tinham causas naturais; contudo, a maioria das pessoas, bem instruídas ou não, *também* acreditava que Deus mandava avisos e juízos por meio de calamidades naturais. Em muitas cidades da Nova Inglaterra, os abalos causaram avivamentos. Northampton experimentou um pequeno avivamento, o último na vida de Stoddard, que calculou 20 conversões. Algumas semanas depois, Jonathan, pregando num dia especial de jejum e arrependimento coletivo, reiterou a opinião prevalecente quanto ao significado do terremoto, especialmente sobre o momento em que ocorrera. Os domingos da Nova Inglaterra começavam e terminavam no pôr do sol. E no domingo à noite era comum que os jovens da cidade, depois de um longo dia de serviços religiosos, se reunissem e ficassem acordados até tarde para "diversões", cheias de "humor e gaiatice". O terremoto, Edwards advertiu, era não somente um juízo sobre os pecados da Nova Inglaterra, mas, talvez, era "mais especialmente sobre os pecados cometidos no domingo à noite".

Aparentemente a juventude da cidade não ficou impressionada com tais advertências por muito tempo, e logo sua subcultura floresceu de novo. Edwards registrou que, após a morte de Solomon no início de 1729, o desrespeito dos jovens ficou ainda mais forte por um tempo. Por fim, a intensa paixão e a clareza de visão de Jonathan começaram a ter impacto. Depois de dois ou três anos, os jovens pareciam abrandar-se para ouvir com mais atenção na igreja, além de moderar sua "diversão".

Durante o inverno de 1733-34, o jovem pastor, parecendo ter conquistado os ouvidos de seus paroquianos não casados, começou a insistir nas reformas. Pregou contra "manter companhia" com pessoas do sexo oposto, especialmente nos feriados e nas noites de domingo. "Manter companhia" levava frequentemente a transgressões sexuais. Em toda a Nova Inglaterra, o número de concepções pré-nupciais estava aumentando – de fato, se tornara comum o primeiro filho de um casal nascer antes dos primeiros sete meses de casamento. Edwards, alicerçado nos duradouros princípios patriarcais da sociedade, enfatizou primeiramente que "manter companhia" devia ser um assunto de disciplina familiar. Convocou os homens, que eram chefes de lares, em vários distritos da cidade, a exercer sua autoridade sobre os filhos maiores ainda não casados. Admiravelmente, o plano pareceu dar certo: pais relataram que nas reuniões de distritos nas quais discutiam os assuntos, os jovens concordaram em que precisavam exercer mais restrição.

Um evento dramático transformou a atmosfera favorável em um avivamento maduro. Em junho de 1734, um dos rapazes mais admirados da cidade foi acometido de uma doença repentina e morreu dois dias depois. Edwards aproveitou a ocasião. Dirigindo-se a uma congregação em estado de choque, pregou um sermão penetrante baseado em Salmos 90.5-6: "Tu os arrastas na torrente, são como um sono, como a relva que floresce de madrugada; de madrugada, viceja e floresce; à tarde, murcha e seca". Descrevendo uma imagem de lindíssimas flores do campo que são cortadas e pelo fim do dia estão destruídas, lembrou à congregação entristecida a beleza passageira da juventude. Havendo ele mesmo estado perto da morte em duas ocasiões, Edwards falou com profunda paixão sobre quão tolo era alguém centralizar a vida em prazeres efêmeros. Quem sabia se ele ou ela seria ou não aquele que estaria deitado no caixão na semana seguinte? Quando amigos estivessem perto do leito de morte de tal jovem, "quão chocante seria pensar: este é aquele indivíduo que... era uma companhia tão indecente" e gastava "horas livres em muita diversão". Quão mais sábio seria crer em Cristo, cuja beleza superava em muito as glórias mais elevadas da terra e no qual a alegria de qualquer pessoa duraria por toda a eternidade.

Edwards reiterava frequentemente o lado positivo dessa mensagem, bem como suas advertências negativas. Quando uma jovem casada ficava doente poucas semanas após a morte de um homem jovem e, depois, parecia dramaticamente mudada e falava de seu amor a Cristo antes de morrer, Edwards pregava sobre as alegrias de saber que uma pessoa amada que falecera estava com o Senhor. Falando em reuniões especiais de jovens ansiosos, ele enfatizava que o amor de Cristo os unia no presente e por toda a eternidade, como nenhum amor terreno poderia fazê-lo.

A visão gloriosa do amor espiritual mais elevado neste mundo e no vindouro acalentava as ansiedades dos jovens e começava a transformar dramaticamente a sua cultura. Por volta do outono de 1734, em vez de se divertirem nas noites dos domingos e das quintas-feiras depois dos sermões em formato de "palestra", os jovens começaram a se reunir em casas espalhadas pela cidade para a "religião social" ou tempos de cânticos, estudo da Bíblia e oração. Logo os adultos de toda a cidade estavam fazendo o mesmo.

Quando o avivamento estava ganhando força, Edwards publicou o que talvez seja seu maior sermão, que resumia alguns dos temas mais característicos de sua teologia. Pregado originalmente em 1734, "Uma Luz Divina e Sobrenatural" apresentava um resumo dos anos de reflexão teológica de Edwards e sua resposta à questão mais essencial à vida: o que significa ter o coração mudado numa verdadeira experiência de conversão? Como em toda a sua teologia, Edwards começou com a premissa de que Deus era o ator primário em qualquer relacionamento. Deus estava sempre comunicando seu amor e beleza. A Escritura comparava frequentemente esta revelação da bondade de Deus com a luz. A luz esplendorosa do amor de Deus estava sempre brilhando ao nosso redor, mas nem todos a viam realmente. Alguns podiam até conhecê-la em teoria, mas isso não significava que tinham uma verdadeira experiência do que ela era.

Para alguém ter essa experiência, precisava de "olhos para ver" ou "ouvidos para ouvir", como dizem as Escrituras, ou um tipo de sexto sentido. Esse, sendo espiritual, transformador, era um dom do Espírito Santo. A diferença entre um mero conhecimento *sobre* o amor de Deus em Cristo e uma verdadeira experiência *espiritual* da beleza desse amor era como a diferença entre saber que o mel era doce e provar realmente a doçura dele. Pessoas pecaminosas eram tão preocupadas com seus próprios prazeres que nunca vislumbravam o verdadeiro amor de Deus. Quando seus olhos fossem abertos, e vissem o belo e maravilhoso amor do sacrifício de Cristo por pecadores indignos como elas mesmas, seriam tão atraídas àquela beleza que seu coração seria mudado. Sua disposição mais fundamental seria amar a Deus e tudo que ele ama.

Essa pregação, centrada no amor de Deus em Cristo e no intenso amor a Deus que traria em retorno, teve seus efeitos. Perto do final de dezembro de 1734, o avivamento teve outra mudança dramática e atingiu um nível de intensidade que Edwards pensou não ter precedente, nem mesmo no ministério de seu avô. Uma jovem conhecida como "uma das moças que mais mantinham companhia na cidade" foi até Edwards com o que ele julgou ser uma sincera profissão de conversão. A notícia desse acontecimento foi "como uma novidade que se espalhou rapidamente" entre outros jovens. A jovem começou a testemunhar para os mais notórios amigos com os quais mantivera companhia. Logo, jovens despertados estavam se colocando em fila à porta do escritório de Edwards em busca de conselho espiritual.

Na primavera, toda a cidade parecia tomada por um admirável fervor de avivamento. De acordo com Edwards, as pessoas só falavam de coisas espirituais. Demoravam-se em outros assuntos somente quando era necessário cumprir seus deveres diários. E, às vezes, até os negligenciavam para que pudessem gastar mais tempo em atividades espirituais. Até as doenças quase desapareceram por um tempo, relatou Edwards. Normalmente os paroquianos lhe entregavam "notas de oração", mencionando enfermidades pelas quais pediam orações no culto da igreja. Durante o auge do avivamento não houve nenhum desses pedidos "por vários domingos seguidos". Pessoas de todas as idades, incluindo algumas crianças e muitas pessoas de mais de 40 anos, foram convertidas. "Vários negros" estavam entre aqueles que pareceram "ter sido verdadeiramente nascidos de novo" e foram recebidos como membros da igreja. Embora Edwards reconhecesse que somente Deus sabia se pessoas haviam sido verdadeira e permanentemente mudadas, ele julgou que, numa cidade de talvez 1.000 habitantes, uns 300 pareciam ter sido acrescentados às fileiras dos espiritualmente transformados.

Admirado pelo fenômeno à sua volta, Edwards fez uma decisão importante – decidiu escrever um relato exato do avivamento. Seguindo o modelo dos relatos científicos da época, nos quais observadores cuidadosos enviavam relatos detalhados de fenômenos naturais para disseminação entre outros cientistas, ele escreveu uma "narrativa fiel desta surpreendente obra de Deus", para ser enviada a colegas de ministério. Em fazer isso, ele ampliaria grandemente e perpetuaria o possível impacto do avivamento. Edwards dirigiu seu extenso relato ao principal clérigo de Boston, o Rev. Benjamin Colman, que já havia mostrado interesse nas admiráveis histórias do avivamento que se propagara até a alguns dos mais influentes clérigos na Inglaterra.

No primeiro domingo de junho de 1735, o avivamento teve uma virada chocante – uma virada que forçou Edwards a retomar sua narrativa recém-terminada e acrescentar um triste pós-escrito. Na manhã daquele domingo, um dos principais cidadãos da cidade, Joseph Hawley, num ato de desespero, cortou a garganta e morreu. Hawley, que era dono de uma loja na cidade, era casado com uma das filhas mais novas de Solomon Stoddard, uma irmã da mãe de Edwards. Ele era inclinado a profunda melancolia, um mal que operava em sua família, e o médico-legista "o julgou delirante" na ocasião de sua morte.

Edwards ficou devastado com o suicídio do "tio Hawley". E o explicou, caracteristicamente, em dois níveis: o psicológico e o espiritual. Hawley era inclinado a profunda melancolia, um mal que operava em sua família. O médico-legista "o julgou delirante" na ocasião de sua morte. Edwards aconselhara Hawley durante o avivamento e reconhecera o desespero de seu tio em sua incapacidade de achar sinais suficientes da graça. Apesar disso, Edwards também acreditava que Deus frequentemente usava o desespero para levar pecadores ao verdadeiro reconhecimento de sua necessidade de depender de Deus somente. Portanto, ainda que Edwards julgasse Hawley como alguém incapaz de ser guiado pela mera razão, continuou a pregar energicamente que aqueles que não recebessem a graça seriam condenados à punição eterna. Acima de tudo, quando Hawley tirou a própria vida, Edwards interpretou isso como um episódio de uma luta espiritual cósmica. "Satanás parecia estar ainda mais solto" e "furioso de maneira terrível" para destruir o avivamento. Como poderia ser esperado quando havia uma poderosa obra de Deus, Satanás (que Edwards, fiel à herança cristã, considerava uma personagem real) revidaria furiosamente.

O suicídio do tio Hawley diminuiu a força do avivamento. De fato, quando a notícia da morte terrível de Hawley se propagou pela região onde muitos avivamentos estavam em andamento, também se propagou algo como uma mania de suicídio. De acordo com Edwards, "multidões", incluindo muitas pessoas piedosas que não sofriam de nenhuma melancolia, foram tomadas por uma tentação repentina, como se alguém lhes dissesse: "Corte a sua garganta, agora é uma boa oportunidade: *agora*, AGORA". Muitos resistiram, mas uns poucos sucumbiram. A mania serviu para anular o contágio espiritual dos avivamentos.

Para Edwards e outros proponentes dos avivamentos, essas "providências terríveis", nas quais Deus, em seus caminhos misteriosos, permitiu Satanás agir, confirmaram realmente a natureza espiritual dos eventos. Edwards se manteve otimista. Os dias de Satanás estavam contados; o reino de Deus viria, e seu povo seria libertado do poder do Maligno. Enquanto isso, o grande conflito espiritual centrado na morte e na ressurreição de Cristo continuaria através da história da humanidade. Embora Satanás se movesse desesperadamente para se opor aos efeitos do triunfo redentor de Cristo, avivamentos mundiais marcariam o avanço do Espírito Santo nestes últimos dias.

Mesmo quando Edwards ficou desanimado com o declínio do avivamento em Northampton, pôde olhar para longe e ver alguns dos efeitos inesperados de sua narrativa, em contribuir para inflamar o breve avivamento internacional pelo qual ele orava. Benjamin Colman, de Boston, ficou profundamente impressionado com a narrativa de Edwards sobre o avivamento, apesar do pós-escrito sobre a morte de Joseph Hawley. Colman mandou uma cópia da carta para dois correspondentes em Londres, Isaac Watts e John Guyse. Isaac Watts era um clérigo famoso no mundo de fala inglesa, tanto por ser um grande escritor de hinos quanto por ser um intelectual que escrevia livros sobre uma grande variedade de assuntos. Guyse era um pastor de uma das principais igrejas dissidentes (não anglicanas) na capital da Inglaterra. Emocionados pelas notícias procedentes da Nova Inglaterra, Watts e Guyse escreveram para Colman, a fim de perguntarem se poderiam ter um relato mais completo da admirável história de Edwards para que pudessem publicar.

Edwards escreveu prontamente um relato extenso e o enviou a Colman, que publicou de imediato uma versão abreviada, como um apêndice a alguns sermões de cuja impressão ele estava cuidando para o tio de Edwards, o Rev. William

Williams, de Hatfield. Williams, casado com outra filha de Stoddard, era o sucessor de Solomon Stoddard como o principal clérigo no Condado de Hampshire, como era chamada a metade ocidental de Massachusetts. Visto que Hatfield estava a apenas alguns quilômetros de Northampton e havia também desfrutado de um avivamento, era natural publicar juntos os trabalhos do tio e do sobrinho. Edwards, porém, ficou embaraçado por isso ter sido feito sem a permissão de seu notável tio. É possível que seu tio não tenha ficado totalmente feliz com um relato de avivamento regional que colocava Northampton muito em evidência.

Colman enviou o relato completo de Edwards para Watts e Guyse, os quais publicaram o mesmo com alguma edição (nem sempre para melhor – eles mudaram Condado de Hampshire para New Hampshire na página de título). Esta obra passou por várias edições, incluindo uma que Edwards restaura ao original. Foi prefaciada por uma breve atestação, assinada por William Williams e cinco outros pastores locais, garantindo que "o relato que o Sr. Edwards fez em sua narrativa de várias cidades ou paróquias é verdadeiro; e que muito mais de natureza semelhante poderia ter sido acrescentado com respeito a algumas delas".

No tempo em que a edição americana apareceu, em 1738, o avivamento do Vale do Rio Connecticut já era história, mas tanto na Grã-Bretanha como no continente ainda eram notícias inspiradoras. *A Faithful Narrative of the Surprising Work of God* (Uma Narrativa Fiel da Surpreendente Obra de Deus) foi republicada em Edimburgo, em 1737 e 1738, e a edição alemã, em 1738.

Na Grã-Bretanha, o momento era apropriado para que a publicação causasse um impacto que ninguém poderia ter previsto. Começando no final de 1736, George Whitefield, um evangelista anglicano recém-saído de Oxford, começou um ministério itinerante que atraiu atenção considerável em Londres e outros lugares. Em Oxford, Whitefield se tornara amigo íntimo de John e Charles Wesley, que tinham fundando um "clube santo" e eram conhecidos como "metodistas" por sua busca rigorosa por uma piedade mais profunda. Em 1738, Whitefield interrompeu a sua inexperiente carreira de pregação para seguir John Wesley como missionário para a nova colônia de Geórgia. Quando Whitefield chegou, Wesley havia saído, mas Whitefield desenvolveu o que se tornou um interesse duradouro pelo Novo Mundo antes de retornar à Inglaterra em 1738. Nesse ínterim, o que se tornaria o movimento evangélico moderno começara a florescer repentinamente. Naquela mesma primavera, John Wesley, que, por anos, estivera procurando ardentemente a verdadeira religião, teve uma experiência dramática em que sentiu seu "coração estranhamente aquecido", poucos dias depois da experiência de conversão de seu irmão Charles. O ministério dos irmãos Wesley floresceu logo e se tornaria, eventualmente, no grande movimento metodista. Whitefield, que em breve seguiria seu próprio caminho, ajudou o novo movimento pela inovação da pregação ao ar livre. As multidões que este jovem pregador atraía eram imensas, chegavam muitas vezes a 10.000 pessoas – alguns dos maiores ajuntamentos, exceto os de exércitos, já vistos anteriormente.

Uma Narrativa Fiel da Surpreendente Obra de Deus, de Edwards, estava entre as inspirações para os Wesley, Whitefield e seus associados. John Wesley editou, posteriormente, uma versão do livro para seu movimento metodista. Na Escócia, o livro de Edwards teve um impacto semelhante nos círculos presbiterianos. Era frequentemente citado como um modelo que ajudou a causar um "grande avivamento" naquele país rude, no começo da década de 1740.

WHITEFIELD

A sensação causada pela narrativa de Edwards entre Watts, Guyse, os Wesley, Whitefield e os escoceses demonstrou o poder da palavra impressa para promover a sua causa. Ao mesmo tempo que Whitefield levou a pregação para os campos fora das portas da igreja, o poder da palavra impressa disseminou rapidamente as novas contagiosas de avivamentos notáveis. À medida que a arte de imprimir se tornava mais eficiente, as notícias se tornavam rapidamente nacionais e internacionais. Hoje, estamos certos de que possuímos meios de comunicação que capacitam as pessoas em todos os lugares a acompanharem um mesmo evento; é difícil imaginarmos um dia quando quase tudo era essencialmente local. A utilização da imprensa por meio do movimento evangélico foi uma expressão bem antiga do tipo de cultura popular compartilhada amplamente que temos agora. Muito da mesma coisa logo se espalhava a movimentos políticos populares – a Revolução Americana, por exemplo. Mas a religião foi uma das primeiras instâncias desta característica agora familiar do mundo moderno.

George Whitefield levou seu ministério, e esta maneira moderna de promovê-lo, até ao Novo Mundo. As reportagens de jornais sobre as imensas multidões para as quais pregou na Inglaterra, no início de 1739, tornaram-no uma sensação mesmo antes de ele chegar a Filadélfia, mais tarde, naquele mesmo ano. Pregando ao ar livre, mesmo no frio de novembro, ele atraiu multidões estimadas ente 6.000 a 10.000 pessoas – números admiráveis para uma cidade de uma população de apenas 13.000 habitantes. Whitefield fascinou Benjamin Franklin, publicador do principal jornal da cidade. Durante um sermão, Franklin caminhou para trás até aonde pudesse ouvir claramente, e a distância foi de aproximadamente 152 metros além da multidão. Ele estimou que, em um campo aberto, até 45.000 pessoas teriam sido capazes de ouvir. Isto convenceu o cético Franklin de que poderiam ser verdadeiros os relatos procedentes da Inglaterra sobre o fato de que Whitefield pregara para 25.000 pessoas de uma vez.

Benjamin Franklin, apesar de suas opiniões liberais sobre a religião, tinha muitas razões para gostar de Whitefield, e os dois logo se tornaram bons amigos. Quando Whitefield voltou à Filadélfia em suas várias viagens às colônias, a amizade deles aprofundou-se – como aconteceu com suas ligações de negócios, não incidentalmente para Franklin. Whitefield já era um fenômeno para as publicadoras, especialmente por meio de seus *Journals* (Diários), nos quais recontava suas atividades de avivamento. Já vendiam amplamente no mundo do Atlântico, antes de chegarem a Filadélfia. Franklin se tornou publicador de oito edições americanas dos *Journals* de Whitefield. O tipógrafo de Filadélfia também publicou alguns dos outros sermões e escritos de Whitefield. Franklin manteve Whitefield nas notícias, frequentemente em manchetes da primeira página no *The Pennsylvania Gazette*, que tanto promoveu o evangelista como ajudou Franklin a solicitar subscrições para as futuras publicações de Whitefield.

Franklin também chegou a gostar de Whitefield e a admirá-lo pessoalmente. Embora fossem quase opostos em seus pontos de vista sobre a doutrina cristã ortodoxa, eram em outros aspectos muito semelhantes. Cada um era um exemplo extraordinário de um novo tipo de homem bem-sucedido por esforço próprio que estava surgindo na era moderna. Cada um viera de um pano de fundo mediano; e cada um teve sucesso espetacular por dominar técnicas de comunicação e por não ficar envergonhado quanto à autoafirmação. Edwards, por contraste, apesar de alguma sensibilidade moderna em publicar sua narrativa do avivamento, nasceu em seu *status*, era formalmente distinto em sua maneira de ser e de um tipo de caráter totalmente diferente das duas personalidades meteóricas que se conheceram pela primeira vez em Filadélfia. Franklin e Whitefield eram, ambos, sociáveis, expansivos e prontos para romper convenções quando interesses práticos de seus projetos imediatos o exigiam.

Franklin também gostava de Whitefield por causa dos benefícios sociais dos avivamentos. Cada um desses homens de sucesso pessoal estava determinado quanto ao fato de que seu sucesso deveria servir a causas maiores. O profundamente piedoso Whitefield estava comprometido, primeiramente, com o servir a Deus, mas isso também significava que deveria servir aos outros, anunciando-lhes a mensagem do evangelho – e as conversões resultantes mudariam a vida das pessoas. Suas boas obras resultariam, por sua vez, em transformação social. Às vezes, Whitefield apoiava causas sociais específicas.

Ele fundou um orfanato na Geórgia, seguindo o exemplo dos pietistas na Alemanha. Franklin gostava de contar a história de que, quando estava ouvindo um dos sermões de Whitefield, determinara não dar nenhum dinheiro na coleta, mas, depois de várias investidas da oratória do pregador sobre o orfanato, ele não somente esvaziou os bolsos, como também pediu um pequeno empréstimo ao seu companheiro para que pudesse dar mais. Franklin reconheceu que em uma sociedade recém-estabelecida e frequentemente ingovernável, qualquer reforma na moral seria um benefício para todos. Sempre alerta e receptivo a qualquer coisa que desse bons resultados, Franklin promoveu os avivamentos.

Por exemplo, em junho de 1740, meio ano depois da visita inicial de Whitefield, Franklin celebrou o avivamento contínuo numa reportagem em seu *The Pennsylvania Gazette*. "A alteração no fato da religião aqui é totalmente surpreendente", ele reportou. "Surpreendente" era o termo que Edwards usara no título de sua *Narrativa Fiel da Surpreendente Obra de Deus*, e Franklin ecoou Edwards claramente ao tornar a cidade de Filadélfia, em 1740, quase semelhante a Northampton em 1730. "A religião está se tornando o assunto de muitas conversas. Outros livros não são procurados, exceto os que tratam de piedade e devoção; e, em vez de canções e baladas frívolas, as pessoas em todos os lugares estão se entretendo com salmos, hinos e cânticos espirituais".

Embora Franklin tenha dito que tudo isto, "sob a agência de Deus, se deve ao labores bem-sucedidos do Sr. Whitefield", seu relato também revela um aspecto do avivamento que a concentração em sua superestrela escondera algumas vezes.

Whitefield havia iniciado e, depois, reiniciado avivamentos em Filadélfia, mas as notícias do jornal de Franklin em junho de 1740 eram a respeito de outros evangelistas locais influentes que seguiram e sustentaram os avivamentos. Neste caso, Franklin estava se referindo aos presbiterianos das Colônias do Meio, que haviam se congregado em Filadélfia para um encontro, e usado a ocasião para pregar uma série de 14 sermões ao ar livre para "grandes audiências". Incluídos na relação de evangelistas presbiterianos, estavam membros da família Tennent, os principais avivalistas irlando-escoceses na região. William Tennet Sr. e seus filhos William Jr. e Gilbert operavam o influente *Log College*, para treinamento ministerial. Quando Whitefield visitou a região em 1739 e 1740, edificou sobre bases de avivamento que os pregadores locais já haviam assentado; e eles, por sua vez, adotaram os métodos de Whitefield de evangelização itinerante e pregação ao ar livre.

ESPERANÇAS PARA O FUTURO

Um padrão semelhante se desenvolveu na Nova Inglaterra. Em Northampton, Edwards ficara desanimado com o esfriamento do ardor dos avivamentos desde 1735, mas também continuava a manter-se informado de qualquer notícia que pudesse obter da obra de Deus em outros lugares. Sempre que um viajante chegava de Boston com um novo suprimento de jornais, Edwards os examinava prontamente para achar notícias de avivamentos no país ou no exterior. Em 1739 e 1740, as visitas de Whitefield à América colocou os avivamentos nas notícias. Logo que Edwards soube que Whitefield planejava uma viagem para a Nova Inglaterra, escreveu ao jovem evangelista insistindo em que viesse a Northampton. Whitefield já havia escrito a Edwards sugerindo a mesma coisa.

Edwards advertiu o itinerante a não esperar muito da Nova Inglaterra. Ele temia que a região anteriormente puritana, havendo "desfrutado do evangelho por longo tempo", pudesse "ter ficado saturada do evangelho", transformando-o num lugar menos promissor aos labores de Whitefield do que outros lugares. Sabendo que Whitefield era familiarizado com sua famosa narrativa da "surpreendente obra de Deus" em Northampton, Edwards queria provavelmente diminuir as expectativas. Se houvesse grandes expectativas, o contraste entre a cidade espiritualmente superaquecida que Edwards descrevera em 1735 e a morna Northampton que o evangelista veria em 1740 seria embaraçoso.

Apesar de seus desânimos, desde o avivamento Edwards havia trabalhado vigorosamente para ajudar sua congregação a crescer espiritualmente, a partir do alicerce de compromisso que o avivamento provera. Os resultados foram mistos. Embora ele pudesse apontar algumas vidas transformadas, a cidade como um todo retornara, mais ou menos, aos seus velhos caminhos. Edwards estava preocupado especialmente com o retorno de discussões, conflitos e um espírito amargo de facções. Até um novo templo se tornou uma fonte de conflitos. Em 1737, a cidade substituiu o velho e modesto templo puritano por um prédio novo e bonito, com um campanário (o tipo que associamos com o "estilo colonial" da Nova Inglaterra do século XVIII). Como era costumeiro na sociedade hierárquica colonial britânica, até os assentos da igreja eram determinados por classe. Isso levou inevitavelmente a disputas num ambiente americano, em que fatores econômicos mudavam o *status* das famílias através de gerações. Os membros da igreja discutiam também a respeito de famílias da igreja sentarem-se juntas, em vez de sentarem os homens e as mulheres em lados diferentes, como era o costume até então. Por fim, eles decidiram permitir que as famílias escolhessem uma ou outra das maneiras, mas todo o processo não foi nada edificante.

Edwards achou muito preocupante o retorno dessas controvérsias de âmbito local, porque acreditava que Deus enviara à cidade um aviso dramático. Na primavera de 1737, enquanto o novo templo estava sendo construído, a congregação estava aglomerada no velho templo. O empuxo do descongelamento na primavera moveu os alicerces do prédio, e a galeria do fundo, cheia de pessoas, se desprendeu de seus suportes e caiu, com um poderoso choque, na área onde mulheres com filhos pequenos estavam sentadas. O "doloroso chorar e gritar" foi acrescentado ao terror, e todos acreditavam que muitos haviam sido mortos instantaneamente. No entanto, quando paroquianos frenéticos removeram os escombros, embora muitos estivessem cortados e machucados, ninguém morrera. Apesar disso, como Edwards relatou logo depois, este aviso terrível da parte de Deus, unido à sua miraculosa exibição de misericórdia, "não teve, de modo algum, o efeito que coisas dez vezes menores costumavam ter dois ou três anos antes".

Durante estes anos depois do avivamento, quando Edwards trabalhou arduamente para reacender as chamas do fogo espiritual, ele pregou dois dos que agora são as suas mais famosas séries de sermões. Em "Caridade e Seus Frutos"[1], uma

---
1 Nota do Editor: Este livro será publicado em português pela Editora Fiel.

cativante série de 15 partes, pregada no inverno seguinte aos episódios do templo, ele seguiu meticulosamente o texto do famoso capítulo bíblico sobre o amor em 1Coríntios 13. O verdadeiro amor ou "caridade", ele disse, era a melhor evidência da conversão genuína e o oposto de inveja, disputa e espírito de crítica que haviam ressurgido na cidade. Numa segunda série mais extensa, "Uma História da Obra de Redenção", ele situou os avivamentos em Northampton dentro de todo o panorama de história da obra redentora de Deus.

Começando no Antigo Testamento e levando a história até ao seu tempo, Edwards enfatizou que a maneira típica de Deus operar era por meio de derramamentos periódicos do Espírito, em avivamentos religiosos. Ele esperava que, se os moradores de Northampton reconhecessem que haviam participado de um dos mais notáveis derramamentos espirituais desde a Reforma, poderiam apreciar melhor e cultivar a obra que Deus começara neles.

A História era uma dimensão tremendamente importante no pensamento de Edwards. Mais tarde em sua vida, ele se propôs a escrever uma teologia inteira "num método totalmente novo, elaborado na forma de uma história", chamada "Uma História da Obra de Redenção". O interesse de Edwards em tentar entender toda a experiência por meio das lentes da História antecipa, em algumas maneiras, perspectivas típicas da era moderna, mas, em outras considerações, desafia a maioria dos pontos de vista modernos. Edwards cria firmemente no progresso histórico. Em contraste com pontos de vista antigos, que consideravam a história como cíclica, ele acreditava que o mundo melhoraria numa taxa acelerada. Diferentemente da maioria dos modernos, ele atribuía este progresso não ao melhoramento do homem e sim à agência de Deus. Deus estava movendo a história em direção a uma grande culminação redentora, em um milênio (ou uma era de mil anos) de derramamentos espirituais, depois do qual Jesus Cristo retornaria no tempo do julgamento final. Esta expectativa otimista de milênio orientada em Deus marcou muito de sua perspectiva.

No ambiente da recessão espiritual que sucedeu a explosão do avivamento de 1734-35, a perspectiva histórica de Edwards tanto lhe deu esperanças extravagantes quanto o preparou para alguns tempos difíceis ao longo do caminho. Embora ele acreditasse que, em última análise, Deus controlava tudo, também via que a história humana se realizava em uma época em que Deus, por razões misteriosas, permitia que Satanás se rebelasse e se enfurecesse contra a obra divina de redenção. Portanto, a história humana era parte de um conflito cósmico abrangente, no qual pessoas estavam enfileiradas num lado ou noutro. Participar de um avivamento de grandes dimensões era como estar nas linhas de frente dessa batalha. Um ataque espiritual contra o domínio de Satanás em um avivamento seria confrontado por contra-ataques, até ao dia em que Satanás seria finalmente vencido.

Ainda que Edwards tivesse esperanças elevadas quanto ao futuro distante e uma boa explicação para reveses recentes, ele deve ter ficado desanimado com o declínio espiritual em Northampton. Fisicamente, Edwards estava longe de ser robusto. Obtemos um vislumbre disso em 1739, quando esteve em Boston para dar uma palestra pública e atender a um convite gentil de seu antigo mentor, Timothy Cutler, o ex-reitor de Yale que se tornara anglicano. Cutler relatou que Edwards estava "muito magro e debilitado em sua saúde; e tenho dúvida de que ele chegue à idade de 40 anos". Cutler atribuiu a condição de Edwards ao estudo excessivo. De fato, sua aparência alarmante podia estar relacionada a uma dieta excessivamente rígida. Edwards experimentava frequentemente regimes austeros, que ele acreditava ter o poder de melhorar sua saúde e disposição. Além disso, sua condição poderia estar relacionada à recorrência de "melancolia" acompanhada de fraqueza física. O empenho do pastorado em Northampton ao qual Edwards dedicara tanto de suas energias nos dez anos passados tinha, sem dúvida, feito o seu estrago.

Apesar disso, Edwards era norteado pela fé nascida de encontros com o amor de Deus e estava cheio de esperança baseada na sua leitura da Palavra. E sua fé seria recompensada. Por volta do final de 1740, a visita de George Whitefield à Nova Inglaterra mudaria dramaticamente as perspectivas imediatas de Edwards e o colocaria perto do centro de um avivamento internacional que abrangeria as colônias, transformaria o panorama religioso e teria, posteriormente, um profundo impacto político.

CAPÍTULO CINCO

Uma Revolução Americana

George Whitefield não somente mudou a vida de Edwards; ele mudou a história americana. Sua influência foi tão grande que ele deveria ser considerado um dos pais fundadores da América. Evidentemente, uma razão por que ele não recebe essa consideração é o fato de não ser americano. Ele permaneceu baseado na Inglaterra, embora tenha visitado a América em sete vezes marcantes e morrido em Newburyport (Massachusetts), em 1771. Outra razão por que não é tão bem lembrado como outros que moldaram a América antiga é o fato de ser uma figura religiosa e não política. Apesar disso, durante sua vida, Whitefield foi quase certamente a personagem mais bem conhecida nas colônias, muito mais amplamente conhecido entre os americanos comuns do que seu amigo Benjamin Franklin. Ele foi a primeira "estrela" celebrada em uma cultura popular emergente que, faltando aristocracia hereditária, era particularmente suscetível a estrelas. Whitefield não somente era famoso: ele revolucionou a religião americana e, por consequência, muito da vida americana.

Algumas dessas mesmas afirmações poderiam ser feitas a respeito de Edwards como um "pai fundador" que ajudou a moldar a cultura americana posterior. Ele foi o primeiro a publicar sobre os avivamentos, tornou-se o principal teorista dos avivamentos e foi reverenciado por muito tempo como o maior teólogo *avivalista*, a tradição teológica mais influente da nação. Além disso, Edwards não foi o revolucionário que Whitefield foi. Edwards estava plantado firmemente como o pastor de autoridade em uma igreja estabelecida, sustentada por impostos, e nunca questionou a antiga suposição de que a autoridade deveria vir de cima. Uma verdadeira revolução precisava de alguém de fora e de um iconoclasta, e Whitefield era perfeito para o trabalho.

O grande avivamento

Whitefield, embora pregasse a mesma teologia calvinista, centrada em Deus, de Edwards, estava pronto a quebrar regras criadas por homens, se isso significasse servir melhor a Deus. Particularmente, ele aprendera na Inglaterra, como um anglicano não da elite, a agir fora da igreja convencional – fora no sentido literal, frequentemente, quando pregava nos campos. Em breve, ele se moveria em direção a um padrão verdadeiramente revolucionário sempre que enfrentasse oposição nas colônias americanas: ele apelaria ao povo *contra* os seus pastores. Isso encorajou uma mudança dramática de papéis.

Tradicionalmente, os pastores advertiam suas congregações de que tinham de mudar, se tornando mais espirituais e mais morais. Agora, o evangelista itinerante dizia às pessoas que elas sofriam espiritualmente porque seus pastores estavam espiritualmente mortos. Os cegos estavam guiando outros cegos. Pessoas que fossem verdadeiramente vivificadas deveriam desafiar seus pastores que não eram suficientemente espirituais. Assim, o grande princípio da democracia – a autoridade do povo comum – foi praticado na religião popular antes de surgir amplamente na política da Revolução Americana.

Quando, por fim, Whitefield chegou em Boston, no outono de 1740, muitos dos clérigos, apesar de algumas reservas iniciais, o receberam bem. O principal pastor da cidade, Benjamin Colman, que patrocinara a publicação da narrativa de Edwards sobre o avivamento, estava entre os que eram especialmente apoiadores. Whitefield pregou a multidões sem precedentes de, às vezes, mais do que a metade da população da cidade de 17.000 pessoas. Depois de algumas semanas de pregação na região, seu sermão de despedida em Boston atraiu uma multidão estimada entre 23.000 e 30.000 pessoas ou quase toda pessoa fisicamente capaz na grande área de Boston.

De Boston, o evangelista viajou a cavalo alguns quilômetros para o leste, para passar um fim de semana em Northampton. Whitefield e Edwards foram imediatamente impressionados um pelo outro. Também formavam um contraste notável. A aparência magra de Edwards, acentuada por sua altura incomum de 1,9 m, deve ter feito com que ele parecesse mais velho do que os seus 35 anos. Whitefield, ainda nos seus 25 anos, era robusto, extrovertido, animado e podia manter uma multidão encantada apenas por sua eloquência. No entanto, eles eram unidos por seus compromissos calvinistas comuns e por sua paixão por salvar almas. Edwards sentiu que Whitefield falou no tom certo ao repreender os habitantes de Northampton por seu afastamento de Deus. Whitefield lembrou que o "bom Sr. Edwards chorou durante todo o tempo" em um dos sermões de domingo. Muitos na congregação foram também reduzidos a lágrimas. Whitefield escreveu em seu diário que não conhecera na Inglaterra pessoas iguais a Jonathan e Sarah Edwards.

Whitefield ficou encantado com toda a família de Edwards. Jonathan lhe pediu que se reunisse com vários dos filhos mais velhos dos sete filhos do casal. Sally tinha 12 anos; Jerusha estava com 10 anos; Ester tinha 8 anos e Mary, 6 anos. Jonathan relatou mais tarde que viu uma obra real de Deus acontecer nelas depois daquele tempo. Whitefield achou Sarah a mulher e mãe modelo. "Não tenho visto um casal mais agradável", escreveu em seu diário. "A Sra. Edwards está adornada de um espírito humilde e manso; ela falava consistentemente sobre as coisas de Deus e parecia ser uma auxiliadora realmente idônea para seu marido." Depois de conhecer Sarah, o jovem evangelista solteiro renovou suas orações fervorosas para que Deus "se agradasse em me enviar uma filha de Abraão para ser minha esposa".

Quando Whitefield deixou Northampton, Edwards o acompanhou a cavalo por dois dias ao longo do Rio Connecticut, em direção a East Windsor, onde os pais de Edwards moravam. No caminho, Edwards obteve uma prova do imenso potencial da evangelização popular. Whitefield era uma sensação aonde quer que fosse. Em um relato famoso, um agricultor de Connecticut fala de deixar, literalmente, o seu arado, pegar a esposa e correr ofegantemente, revezando-se no único cavalo que tinham, juntamente com a enorme multidão, através de nuvens de poeira, "como se estivessem fugindo para salvar a nossa vida, temendo, em todo o tempo, que fosse muito tarde para ouvirmos o sermão".

Encorajado por seu imenso apelo às pessoas, Whitefield acentuava o lado democrático e subversivo de sua mensagem, quanto mais viajava. Embora tivesse sido apoiador de Edwards em Northampton, em muitos outros lugares ele desafiou a autoridade de pastores locais, os quais ele julgava serem insuficientemente espirituais. O protestantismo evangélico tem sempre usado uma linguagem polvilhada de alusões à presença e ao cuidado de Deus e do interesse do pregador na salvação de almas. Whitefield e alguns de seus colegas itinerantes haviam se tornado peritos em avaliar rapidamente os muitos clérigos locais que encontravam pela presença ou ausência de tal linguagem. Em sua pregação em Boston, Whitefield incluiu advertências sobre clérigos não convertidos; e fez o mesmo quando viajou pelo Vale do Rio Connecticut. Edwards certamente concordou quanto ao perigo, mas repreendeu gentilmente Whitefield por fazer tais julgamentos, pois somente Deus conhecia o verdadeiro estado do coração de alguém. Apesar disso, Whitefield persistiu. Em um diário que publicaria em breve, ele ofendeu sensibilidades educadas por sugerir que muitos dos clérigos da Nova Inglaterra não fossem verdadeiramente cristãos. Edwards deve ter tido muitos sentimentos mistos sobre essa publicação, visto que Whitefield fez de sua família uma exceção. Quando visitaram East Windsor juntos, Whitefield anotou em seu diário que o pastor ali presente, o idoso pai de Edwards, Timothy, era "um homem convertido". De fato, Whitefield escreveu que, na presença de Timothy e Esther Stoddard Edwards, "imaginei que estivesse sentado na casa de Zacarias e Isabel", os pais idosos e santos de João Batista, no Novo Testamento.

Nos dois dias em que Edwards viajou com Whitefield, viu os começos de uma revolução americana, o surgimento da era do povo. Repentinamente, posição ou classe oficial não possuía nenhuma autoridade nas questões de religião, a menos que a alma da pessoa estivesse correta com Deus. O mais simples agricultor que era convertido poderia e deveria rejeitar a autoridade do mais prestigioso clérigo não regenerado. A obra de Edwards no avivamento anterior de 1734-35 ajudara a preparar o caminho para essa revolução, mas, como um clérigo estabelecido, que valorizava a autoridade de seu ofício, não previra estas consequências mais amplas, ainda que pudesse apreciar sua lógica.

Esta revolução em autoridade foi especialmente bem apropriada para as colônias americanas. Na América, a maioria das autoridades estabelecidas já estava enfraquecida, e a maioria das tradições era importada. Não tendo quase nenhuma nobreza herdada, os colonos já estavam acostumados a ver homens empreendedores, de contextos modestos, emergirem como parte das classes governantes. O evangelicalismo enfatizava que qualquer pessoa, não importando quão humilde fosse em *status* social ou eclesiástico, poderia se tornar um filho de Deus cheio do Espírito e seria espiritualmente superior ao mais aristocrata dos homens não regenerados. Naquele momento, poucos evangélicos (e, certamente, não Edwards) viam que tal igualdade espiritual tinha implicações para o *status* social. Mas, a longo prazo, as implicações se fizeram presentes.

Nas igrejas, Whitefield estava claramente desafiando a autoridade estabelecida, e sua visita instigou uma reação em cadeia que era imediatamente divisora. Quando Whitefield deixou a Nova Inglaterra, pediu a Gilbert Tennet, um dos seus mais entusiastas e controversos apoiadores nas colônias do meio, que o sucedesse em um novo *tour* pela Nova Inglaterra. No início de 1740, Tennet havia pregado (e Benjamin Franklin publicara) na Pensilvânia um sermão intitulado "O Perigo do Ministério Não Convertido", que estava causando uma divisão entre os presbiterianos da região. Em dezembro de 1740, o veemente evangelista presbiteriano apareceu em Boston para dar continuidade à obra de Whitefield. Embora Tennet não fosse tão eloquente quanto Whitefield, sua turnê pela Nova Inglaterra foi notavelmente bem-sucedida em manter aceso o fogo do avivamento. Sua mensagem também ajudou a fomentar controvérsia, e, quando o diário de Whitefield foi publicado na primavera seguinte, fomentou tanto as chamas do avivamento quanto de polêmicas.

Nesse tempo, não houve nenhuma interrupção no avivamento. Em vez de depender de estrangeiros, muitos clérigos da Nova Inglaterra que eram mais novos e a favor do avivamento começaram, eles mesmos, a ser itinerantes e a cruzar o interior da região, pregando o avivamento. Pastores estabelecidos também achavam que provavelmente despertariam mais fervor espiritual se eles mesmos se aventurassem fora de suas paróquias. Ninguém tinha visto um avivamento desta dimensão antes. Até em Boston, ministros favoráveis ao avivamento registraram interesses espirituais sem precedentes e uma aparente transformação da cidade. Este grande avivamento também cresceu dramaticamente em intensidade. Em resposta à pregação de avivamento, pessoas choravam frequentemente pelo estado de sua alma, desfaleciam e eram até tomadas de êxtases.

Pecadores nas mãos de um Deus irado

Edwards aproveitou o momento de uma maneira que tem sido lembrada por muito tempo. Seguindo as novas tendências do avivamento, ele alterou seus sermões para criar uma intensidade dramática e começou a pregar mais fora de sua paróquia. Essa combinação levou ao mais famoso – ou infame – incidente de sua vida: a pregação de "Pecadores nas mãos de um Deus irado", em Enfield (Connecticut).

O ambiente era uma vila próxima da fronteira de Massachusetts e Connecticut, em meados de julho de 1741. A cidade vizinha, Suffield, estivera experimentando um avivamento admirável por algum tempo. No domingo, três dias antes do seu sermão em Enfield, Edwards, como um ministro convidado, presidira um culto de Ceia do Senhor em que de 97 pessoas, um número admirável, foram recebidas como membros comungantes. O avivamento em Suffield havia produzido intensas erupções de êxtases. Na segunda-feira, depois do culto de comunhão, Edwards pregou numa "reunião privada" para uma multidão aglomerada em dois grandes cômodos de uma casa. Um visitante que chegara depois do sermão disse que em uma distância de 400 metros podia ouvir berros, gritos e lamentos, "como de mulheres em dores de parto", quando as pessoas agonizavam pelo estado de sua alma. Alguns desmaiaram ou entraram em transe; outros foram tomados de extraordinário chacoalhar do corpo. Edwards e outros oraram com muitos dos consternados e levaram alguns a "diferentes graus de paz e alegria, alguns a enlevo, tudo exaltando o Senhor Jesus Cristo", e exortaram outros a se achegarem ao Redentor.

Dois dias depois, Edwards se uniu a um grupo de pastores visitantes que estava tentando propagar o avivamento até Enfield, e lhe pediram, tendo em mente, sem dúvida, o seu sucesso em Suffield, que pregasse um sermão. Edwards não era como Whitefield, que poderia cativar uma congregação por meio de eloquência dramática e espontânea. Sua voz era fraca, e pregava com base num manuscrito que ele havia quase memorizado. Usava poucos gestos e fazia pouco contato de olhos. Dizia-se que ele parecia estar fitando a corda do sino no fundo da igreja. Apesar disso, seus sermões eram uma combinação de lógica muito clara e intensidade espiritual que poderia, às vezes, encantar seus ouvintes. No caso de "Pecadores", diferentemente de muitos dos seus sermões, ele acrescentou muitas ilustrações vívidas. A combinação se revelou poderosa.

"Pecadores" é citado habitualmente como um exemplo da severidade da pregação de fogo do inferno na América primitiva. Entretanto, vê-lo apenas desta forma é perder de vista maior parte da verdade. Os pregadores desta época pregavam com regularidade sobre o inferno, porque acreditavam que ele era uma realidade terrível sobre a qual as pessoas precisavam ser alertadas. Eles consideravam a doutrina da punição eterna como misteriosa e aterrorizante, mas o próprio Jesus se referira a ela, e a maioria dos cristãos, em todas as eras, a entendeu no sentido real. Alertar os paroquianos quanto ao perigo real era uma coisa amável a ser feita, e, quanto mais um ministro pudesse ajudá-los a sentir verdadeiramente seu perigo, tanto mais eficaz seria a advertência. Até pregadores de um tipo liberal usavam a doutrina das recompensas e punições eternas para ajudar a controlar as pessoas moralmente. Para os cristãos orientados por conversões, mais do que moralidade estava em jogo. Evangélicos como Edwards falavam de "avivamentos" porque as pessoas que eram cegadas pelos prazeres de seus pecados necessitavam ser vivificadas para ver seu imenso perigo e o remédio de Deus em Cristo.

No famoso sermão de avivamento de Edwards, ele admitiu o fogo do inferno como algo real e colocou a ênfase na solene tensão entre o julgamento e a misericórdia de Deus. Edwards apresentou Deus como o juiz perfeitamente justo, que estava corretamente indignado em face da rebelião dos seres humanos contra seu amor. Ao mesmo tempo, Deus havia se restringido misericordiosamente, por um tempo, na execução de seus juízos, para dar aos pecadores uma oportunidade de receberem o amor redentor de Cristo e serem salvos da condenação horrível, justa e certa.

Edwards formulou as imagens impressionantes do sermão ao redor da ira de Deus que está retida por muito tempo, mas é iminente. "As negras nuvens da ira de Deus [estão] pairando sobre a nossa cabeça, cheias de tempestade horrível e grandes trovões." Ou "como grandes águas que são represadas no presente; elas aumentam cada vez mais e sobem cada vez mais". Outra vez, "o arco da ira de Deus está armado, a flecha está pronta na corda e a justiça dispara a flecha em seu coração e desarma o arco". Assim, Edwards acumulava imagem sobre imagem. Além disso, ele insistia em que não era a ira ou a justiça que estava errada, mas a pecaminosidade essencial de cada pessoa que tornava justo o juízo. "A sua impiedade o torna tão pesado quanto o chumbo e o faz tender para baixo, com grande peso e pressão, rumo ao inferno". "Homens não convertidos andam sobre o abismo do inferno, em uma cobertura podre", e podem cair a qualquer momento. Ou na passagem mais famosa: "O Deus que o segura sobre o abismo do inferno, muito mais do que alguém segura uma aranha ou algum outro inseto abominável sobre um fogo... é a mão de Deus, e isso apenas, que o segura para não cair no fogo cada momento; e o fato de que você não foi para o inferno na noite passada tem de ser atribuído a nada mais", ou "visto que você se levantou nesta manhã", ou "visto que você está sentado aqui na casa de Deus". "Ó pecador!", ele apelou.

> Considere o terrível perigo em que você está... você está pendurado em um fio muito tênue, e as chamas da ira divina ao redor dele, prontas a cada momento para queimá-lo, e queimá-lo totalmente; e nada você tem... em que segurar para salvar a si mesmo... nada que possa fazer para levar Deus a poupá-lo por mais um momento.

Edwards nunca terminou o sermão em Enfield. O tumulto se tornou muito grande quando a audiência foi tomada por gritos, lamentos e clamores: "O que farei para ser salvo? Oh!

estou indo para o inferno! Oh! o que farei por Cristo?" Um dos ministros registrou que "os gritos agudos e clamores eram comoventes e admiráveis". Várias "pessoas foram esperançosamente mudadas naquela noite. Oh! que prazer e alegria havia em seus semblantes!"

O sermão e seus efeitos foram ainda mais assustadores porque o vozerio no recinto impediu Edwards de chegar à parte que abordava a misericórdia de Deus: "E agora vocês têm uma oportunidade extraordinária, um dia em que Cristo abriu amplamente a porta de misericórdia e está à porta chamando e clamando, com voz alta, a pobres pecadores". Estes eram temas que Edwards pregava frequentemente em seus outros sermões. Neste dia específico, ele planejara lembrar os ouvintes de tão grande provisão, de como muitos outros tinham ouvido o chamado de Cristo com amor e alegria e de "quão terrível é ser deixado para trás num dia como esse!" Ironicamente, seus ouvintes o impediram de chegar às boas novas que lhes viera comunicar.

Edwards podia, literalmente, amedrontar uma audiência, mas também possuía um lado muito mais gentil. Temos um vislumbre dessa qualidade de cuidado pastoral em uma carta de conselho que Edwards escreveu naquele mesmo verão. Deborah Hathaway, uma jovem de 18 anos convertida no avivamento de Suffield, se voltara a Edwards em busca de conselho. Por isso, ele ofereceu uma lista de orientações para jovens cristãos. Em um tempo, esta carta ficou talvez mais amplamente conhecida do que "Pecadores", visto que nos anos anteriores à Guerra Civil Americana ela foi impressa em grandes números como um folheto intitulado *Conselho a Jovens Convertidos*". Na carta, Edwards salientava a importância da humildade e de não ser desanimado. O tom de Edwards na carta oferece um impressionante contraste com "Pecadores nas Mãos de um Deus Irado". O Deus trino é não apenas o espantosamente justo juiz, mas também o Cristo amável, cujas mãos são gentis. "Em todo o seu proceder", Edwards instou, "ande com Deus e siga a Cristo como uma criança pequena, frágil e dependente, agarrando a mão de Cristo, mantendo os olhos nas marcas das feridas no lado e nas mãos dele, de onde vem o sangue que purifica você do seu pecado".

DEFENDENDO O AVIVAMENTO

Parte do interesse de Edwards em instar humildade e discipulado gentil entre os convertidos era que, com os arroubos extravagantes que acompanhavam o avivamento em toda a Nova Inglaterra, muitas pessoas que de outro modo poderiam ter simpatizado, estavam começando a rejeitar os avivamentos como o contágio de puro emocionalismo. E o próprio Edwards se preocupava com o fato de que algumas pessoas estavam usando alegações de experiência de conversão para chamar a atenção para si mesmas e afirmar sua superioridade espiritual. Também, ele vira de perto muito da agonia e dos êxtases de pecadores convertidos. E, levando em consideração os excessos e abusos dos avivamentos, ele estava convencido de que os benefícios superavam os riscos.

Edwards teve uma oportunidade extraordinária de abordar esses assuntos como o palestrante na formatura em Yale, em setembro de 1741. Com toda a probabilidade, as autoridades de Yale lhe estenderam a honra antes de ficar tão envolvido com os arroubos do verão. Quando ele chegou em Northampton, a controvérsia se tornara uma tempestade, da qual Yale era o epicentro. O reitor da faculdade, Thomas Clap, que era conservador, tinha, a princípio, recebido bem o avivamento. Visitas de Whitefield no outono de 1740 e de Gilbert Tennet na primavera haviam acendido o fervor do avivamento, e muitos na faculdade e na cidade pareciam verdadeiramente vivificados. Mais tarde, na primavera, quando Whitefield publicou seu *Diário*, este continha não somente suas observações quanto aos ministros da Nova Inglaterra serem ou não serem não convertidos, mas também uma crítica injuriosa contra a faculdade. Colocando juntas Harvard e Yale (para a decepção da conservadora Yale), o evangelista lamentou que "a sua luz está se tornando trevas, trevas que podem ser sentidas; e isso é uma queixa da maioria dos ministros piedosos".

Pior ainda, alguns dos pregadores locais viajantes, e até alguns dos alunos de Yale, estavam dizendo a mesma coisa. Pouco antes da formatura, os conselheiros de Yale haviam aprovado uma norma no sentido de que, "se algum aluno desta faculdade disser direta ou indiretamente que o reitor ou qualquer dos conselheiros ou tutores é hipócrita, carnal ou não convertido, fará, pela primeira ofensa, confissão pública no salão e, pela segunda ofensa, será expulso". Um dos principais alvos era um aluno intensamente espiritual e sincero chamado David Brainerd.

Dificilmente Edwards estava preparado para a tempestade que enfrentou em New Haven. O mais controverso de todos os evangelistas, James Davenport, um descendente do fundador original da colônia de New Haven, estava na cidade para a semana de formatura. Davenport estivera incitando entusiasmo entre os ouvintes de Connecticut e dizendo-lhes que a pregação de seus pastores era, "para suas almas, como uma isca de rato era para seus corpos". Em New Haven, ele atacou especificamente o Rev. Joseph Noyes, da Primeira Igreja no Green (que os alunos de Yale deveriam frequentar) como um "lobo em vestes de ovelha". Os ataques extravagantes de Davenport criaram consternação entre as autoridades de Yale, mas isso conquistou para ele admiradores ardentes entre os alunos, como Brainerd.

Se o reitor Clap e os conselheiros de Yale esperavam que Edwards acalmasse a tempestade, devem ter ficado indignados com o que ele realmente fez. Apesar de suas reservas quanto a algumas das expressões extravagantes do avivamento, Edwards se posicionou inconfundivelmente ao lado deste. Ainda que alunos como David Brainerd tivessem ido longe demais em criticar seus superiores, Edwards admirava sua profunda intensidade espiritual. Em seu discurso de formatura, logo publicado como um tratado expandido, Edwards argumentou com sua lógica claríssima que intensos fenômenos físicos como "lágrimas, tremores, grunhidos, clamores altos, agonia de corpo ou falência de força no corpo" não provam nada, de uma maneira ou de outra, quanto à legitimidade de um avivamento. Ele não pensava que um tempo de dons extraordinários do Espírito Santo havia chegado, por isso negou (em contrário tanto a alguns radicais de seu tempo quanto aos pentecostais que surgiriam depois) que sinais de êxtase eram a melhor evidência de um verdadeiro derramamento do Espírito Santo. Ao mesmo tempo, Edwards insistiu, nem os grandes arroubos emocionais eram evidências *contra* a presença do Espírito Santo. Podiam ser expressões totalmente apropriadas do estupendo caráter salvador de vidas do que estava acontecendo. Gritar alto por causa do temor do inferno, por exemplo, fazia sentido perfeito. Assim, as expressões de êxtases de alegria eram o que alguém poderia esperar daqueles que experimentaram autenticamente as maravilhas da obra salvadora de Cristo.

É verdade que Edwards reconheceu que houve perigos de excessos. Entusiasmo se propagava frequentemente quando evangelistas proclamavam falsa doutrina. E Satanás poderia imitar avivamentos verdadeiros. Também, este cenário desfavorável não negava o fato de que alguns dos que foram tomados de emoções extremas, nos avivamentos, haviam sido convertidos de maneira salvífica. Os testes reais ou "marcas distintivas" de uma obra genuína do Espírito de Deus não tinham nada a ver com esses efeitos dramáticos ou com a falta deles. Pelo contrário, esses testes podiam ser achados na vida transformada daqueles que estavam agora vivendo de acordo com os ditames do evangelho e manifestavam os traços e virtudes de verdadeiros cristãos. Edwards tinha visto muitos exemplos dessas transformações e não podia duvidar que, no todo, o avivamento era um grande derramamento do Espírito de Deus.

No final de seu discurso, ele advertiu realmente contra alguns excessos – especialmente o hábito de declarar publicamente quem era ou quem não era verdadeiramente convertido. Desde o primeiro avivamento em Northampton, Edwards aprendera como era fácil alguém estar errado em julgar os sinais externos e, por isso, exortou que tivessem cautela em avaliar os outros, especialmente aqueles que alguém não conhecia bem.

Também advertiu (como o fizera a Whitefield) contra o perigo de alguém afirmar ser guiado por Deus em fazer decisões diárias específicas por "impulsos e impressões fortes" daquilo que Deus estava dizendo para ser feito. Isso, Edwards temia, se assemelhava a reivindicações de revelações extrabíblicas. Para o reitor Clap e outras autoridades de Yale que, talvez, esperassem moderação tranquilizadora, isso foi muito pouco, muito tarde.

A mensagem central de Edwards foi um desafio perspicaz àqueles que negariam todo o avivamento por causa de seus excessos evidentes. Se, como ele disse ser demonstrável, o Espírito Santo estivera agindo de maneiras admiráveis nos avivamentos, então, opor-se a eles seria opor-se ao Espírito Santo. Em Boston, onde estava surgindo uma reação contra o avivamento, amigos de Edwards que eram a favor, publicaram seu tratado com um prefácio efusivo escrito pelo Rev. William Cooper, da famosa *Brattle Street Church*. Cooper foi ao ponto de afirmar que o avivamento havia superado a Reforma como o maior derramamento espiritual desde o Pentecostes. Tanto Cooper quanto Edwards sugeriram que as pessoas que se opunham ao avivamento estavam em perigo de "blasfêmia contra o Espírito Santo", o que, eles advertiram, poderia ser o que o Novo Testamento pretendia dizer ao referir-se ao "pecado imperdoável".

Isto foi uma proclamação de desafio, e o clero da Nova Inglaterra entrou imediatamente numa guerra total de palavras entre os proponentes da "Nova Luz", do avivamento, e seus adversários da "Velha Luz". Até 1742, a maioria dos que se opunham aos avivamentos foi relutante em falar abertamente, sentindo que estava em minoria. Mas, quando as afirmações extravagantes e comportamentos extáticos se tornaram mais comuns, a sua posição se fortaleceu.

Especialmente embaraçosos para os amigos do avivamento foram os comportamentos cada vez mais rudes de James Davenport. Na primavera de 1742, em resposta à potencial capacidade de divisão de Davenport e alguns outros, a Assembleia Geral de Connecticut aprovou uma lei banindo pregadores itinerantes, a menos que uma igreja local os convidasse. Quando Davenport prontamente transgrediu a lei, a Assembleia o examinou e conclui que suas arengas eram tão extremas que ele era *"perturbado nas faculdades racionais de sua mente"* e, por isso, teve compaixão e se apiedou dele. Davenport foi enviado de volta à sua paróquia em Long Island. Em breve, ele voltou à Nova Inglaterra, ainda mais extremo do que antes. Em março de 1743, as coisas atingiram um clímax tumultuado em New London, no litoral de Connecticut. Ali, Davenport supervisionou fogueiras entre um grupo dissidente composto, na sua maioria, por jovens convertidos. Um dia, eles queimaram livros de teólogos puritanos para sinalizar a sua liberdade de mera tradição. No dia seguinte, voltando-se ao problema do mundanismo, algumas pessoas lançaram ao fogo joias, perucas e roupas atraentes. Aparentemente, ele mesmo ofereceu as calças que estava vestindo. Naquela altura, alguns amigos da Nova Luz interviram, crendo que ele poderia estar possesso do Diabo.

Edwards desempenhou um papel importante no conflito. Ele e vários outros importantes *Novas Luzes* se reuniram com Davenport, e, depois, Edwards permaneceu entre aqueles que continuaram a aconselhá-lo. No ano seguinte, Edwards relatou que o jovem evangelista estava "verdadeiramente muito mudado". Davenport confessou seus erros e reconheceu que havia sido guiado por um "falso espírito", especialmente no que dizia respeito à queima de livros e de roupas em New London. Embora Davenport tenha sido restaurado, o dano já estava feito, e suas extravagâncias acenderam os fogos da reação antiavivamento.

Charles Chauncy (1705-1787), pastor auxiliar da prestigiada Primeira Igreja de Boston, emergiu como o principal porta-voz dos *Velhas Luzes*. Chauncy mais tarde se tornou conhecido como um tipo de teólogo liberal que criticou algumas das doutrinas calvinistas, mas, ao mesmo tempo, apresentou seus argumentos numa estrutura ortodoxa. Ele não era contra as obras transformadoras do Espírito Santo, mas acreditava que estas eram manifestadas como um processo gradual de reconhecer e viver de acordo com a graça de Deus. "Entusiasmo", como ele chamava as manifestações excessivas de emoção, era um tipo de estado mental "superfervoroso" e contagiante, que levava as pessoas a confundir suas paixões exageradas com a obra de Deus. Tais emoções não eram evidentemente confiáveis como guias para separar a verdadeira religião de ilusões. "A verdade clara é que", insistiu Caunchy, "*uma mente iluminada*, e não *emoções enlevadas*, deve sempre ser o guia daqueles que se chamam homens; e isto se aplica tanto aos assuntos da religião quanto às outras coisas".

Chauncy se pronunciou forçosamente no verão de 1742 e também fez saber a todos que estava coletando material para um grande volume que documentaria os excessos dos avivamentos. Nesse ínterim, Edwards devia estar trabalhado, em seu tempo livre, para antecipar-se a Chauncy. Na primavera de

1743, ele apareceu com seu extenso tratado intitulado *Some Thoughts Concerning the Present Revival of Religion* (Alguns Pensamentos Concernentes ao Presente Avivamento da Religião). Como na defesa anterior do avivamento, Edwards admitiu que havia excessos, mas argumentou que estes não deveriam desviar a atenção das evidências centrais de que o Espírito Santo estava mudando o coração de pessoas. Quase ao mesmo tempo que apareceu o tratado de Edwards, o Rev. Thomas Prince, um dos mais distintos clérigos de Boston e aliado íntimo de Edwards, iniciou um novo periódico, o *Christian History* (História Cristã). Seguindo o exemplo de um jornal escocês que estava promovendo avivamentos semelhantes na Escócia, *Christian History* publicou relatos de experiências espirituais impressionantes que aconteciam nos avivamentos internacionais.

Nessa altura, os clérigos da Nova Inglaterra estavam tão acentuadamente divididos em dois arraiais de contenda, que quase todos eram forçados a tomar um dos lados. Na primavera de 1743, um grupo de cerca de 40 clérigos de Massachusetts conseguiu um pequeno triunfo. Sentindo que tinham a maioria num encontro anual de ministros, em Boston, emitiram uma declaração que condenava a maioria das desordens notórias dos avivamentos, incluindo reivindicações de orientação direta de Deus, julgamentos sobre quem era convertido, pregação por leigos que não receberam educação apropriada, pandemônio nos cultos religiosos e separação das igrejas paroquiais. Embora os clérigos da Nova Luz que estavam presentes, incluindo o próprio Edwards, pudessem concordam com esses perigos, se opuseram à declaração visto que não tinha uma afirmação positiva dos benefícios genuínos do avivamento. Dois meses depois, em outro encontro anual de clérigos, no tempo de formatura em Harvard, em julho, os clérigos da Nova Luz organizaram sua própria convenção e emitiram um *Testimony and Advice* (Testemunho e Conselho), que elogiava o avivamento, enquanto também reconhecia seus excessos. Mais de 100 ministros da Nova Inglaterra assinaram.

A guerra de palavras e de números prosseguiu. Em setembro de 1743, o tomo de Charles Caunchy apareceu em resposta a Edwards – tinha mais de 400 páginas. Incluía mais de 500 assinantes não somente de clérigos, mas também o que um historiador descreveu como o "registro social" de pessoas leigas da região, encabeçada pelo governador de Massachusetts, William Shirley.

Considerando essa divisão em termos de história social e política colonial americana, podemos ver as implicações revolucionárias daquilo que Whitefield levou para a Nova Inglaterra. Por um século, o clero e as elites sociais da Nova Inglaterra foram capazes de mostrar uma vanguarda admiravelmente firme em manter a "Maneira da Nova Inglaterra", onde a religião calvinista e a boa ordem social andavam lado a lado. Vozes desconhecidas emergentes enfrentaram um tempo difícil em ganhar audiência, como foi talvez bem ilustrado 20 anos antes, quando o clero e as elites políticas e sociais conseguiram silenciar a voz dissidente do jornal de James Franklin, *New England Courant*. O avivamento acabou com o consenso de todas as classes que o governo possuía nas questões religiosas. Desde então, pessoas leigas podiam criticar os clérigos com impunidade – e até os próprios clérigos estavam discordando publicamente uns dos outros.

Edwards, que nascera na Nova Inglaterra, não estava totalmente feliz com a revolução que ele mesmo ajudou a desencadear nas igrejas da região. Embora acreditasse fortemente na igualdade espiritual de todos que eram regenerados, homem ou mulher, escravo ou livre, também afirmava categoricamente que as pessoas da igreja deveriam prestar devido respeito aos ministros que Deus ordenara. Eles eram homens treinados nos idiomas bíblicos e na teologia protestante da Reforma. Assim, por exemplo, enquanto Edwards se mostrava feliz por ver pessoas leigas testificarem de sua fé, achava que elas não deveriam assumir a pregação se não fossem treinadas apropriadamente.

Embora tenha aconselhado vários leigos da Nova Luz a não se envolverem na pregação formal sem treinamento, ele ficou ainda mais triste quando algumas mulheres tomaram para si mesmas o papel de exortar e pregar. Edwards, de acordo com a vasta maioria de cristãos no decorrer da história, acreditava que a pregação por parte de mulheres, pelo menos em reuniões mistas de homens e mulheres, violava uma proibição direta do Novo Testamento. A única instância, conforme sabemos, na qual ele lidou diretamente com tais questões provê um vislumbre fascinante daqueles tempos. No início de 1742, Edwards tomou parte num conselho ministerial que lidou com um caso, em Westfield (Massachusetts), de Bathesheba Kingsley, uma Nova Luz radical, cujo marido se queixava de que ela estava gastando quase todo o seu tempo fora de casa, andando de casa em casa, para pregar a mensagem da salvação em Cristo. Antes, ela havia confessado o furto de um cavalo em seu zelo para evangelizar uma cidade vizinha. O conselho a tratou da mesma maneira que um grupo semelhante lidou com James Davenport, declarando-a de caráter instável e encaminhando-a para reabilitação, em vez de designá-la à punição. Mas esse caso afirmou a questão de gênero. Eles disseram que ela poderia continuar a testemunhar de acordo com a "sua situação", o que significava apenas no lar, em particular ou como uma pessoa convidada a outros lares. Também a advertiram de que não criticasse seu marido com linguagem áspera e severa, mas "em particular, de maneira submissa, humilde e amorosa". Ele, por sua vez, deveria "tratá-la com paciência e cordialidade, sem palavras duras ou pancadas".

UM TRATADO CONCERNENTE ÀS AFEIÇÕES RELIGIOSAS

Na primavera de 1743, os pontos de vista de Edwards sobre o avivamento estavam se moderando. Ele parecia mais reocupado com alguns dos *Novas Luzes* radicais do que com oponentes do avivamento. Em uma carta escrita posteriormente, em maio de 1743, ele revelou sua preocupação ao Rev. James Robe, de Kilsyth (Escócia), onde houvera um avivamento admirável que era parte de um outro maior na Escócia. Enquanto Edwards se regozijou com as notícias procedentes da Escócia, declarou que "não temos notícias tão jubilosas a enviar-lhe; as nuvens engrossaram, especialmente na divisão da Nova Inglaterra em partes contendedoras". "Isto", explicou Edwards, "se deve muito à imprudente gestão dos amigos da obra, a uma mistura corrupta que Satanás achou meios de introduzir e aos nossos multiformes esforços pecaminosos, pelo que temos entristecido e abafado o Espírito de Deus".

Por esse tempo, muitas das cidades da Nova Inglaterra já tinham se dividido, quando as igrejas *Novas Luzes* se separaram e formaram suas próprias congregações, geralmente fundamentando suas ações em acusações de que os pastores *Velhas Luzes* não eram regenerados. Embora Edwards tenha se posicionado a favor dos *Novas Luzes*, permaneceu relutante em apoiar tais julgamentos de pessoas ou rejeições de autoridade devidamente constituída. Quando lidava com essas questões, ele habitualmente aconselhava amor em ambos os lados. Mas o amor estava se tornando uma coisa rara.

Os esforços de Edwards para achar um ponto intermediário no avivamento e promover o amor em lugar de divisões culminaram em uma de suas maiores obras, *A Treatise Concerning Religious Affections* (Um Tratado Concernente às Afeições Religiosas), publicada em 1746. Esta obra não foi apenas outra resposta a Chauncy e aos *Velhas Luzes*; antes, foi uma tentativa mais positiva de atingir um equilíbrio, por oferecer critérios sobre como resolver as questões disputadas a respeito do que constituía o verdadeiro cristianismo. Era dirigido mais aos *Novas Luzes* do que aos oponentes do avivamento.

Em seu prefácio, Edwards enfatizou que mais danos eram feitos à verdadeira religião por seus amigos confessos do que por seus inimigos declarados. Uma das estratégias favoritas de Satanás era simular experiências religiosas genuínas de maneiras extremas, as quais eram caricaturas da coisa real, desacreditando assim toda a religião. Por esse tempo, Edwards já tinha visto em Northampton muitos casos em que pensara que seus paroquianos fossem verdadeiramente convertidos, somente para vê-los apostatar nos anos subsequentes. Os verdadeiros convertidos eram como estrelas permanentes, enquanto imitações de conversão eram como cometas que brilhavam um tempo, mas, por fim, se queimavam totalmente. O problema central que Edwards abordou em *Afeições Religiosas* foi como distinguir entre estes dois tipos de conversão.

Edwards começou por defender, mais uma vez, a centralidade de afeições sentidas profundamente. "Verdadeira religião", ele afirmou na abertura de sua tese, "consiste em grande parte em afeições santas". Essas afeições eram o que uma pessoa verdadeiramente amava, e guiavam inevitavelmente a vontade em suas escolhas. A fé genuína na Escritura não era apenas uma questão de crer em doutrina correta, embora a crença correta fosse certamente necessária. Pelo contrário, a verdadeira religião se centralizava em afeições sentidas no coração "como temor, esperança, amor, ódio, desejo, alegria, tristeza, gratidão, compaixão e zelo". Visto que estes sentimentos eram reações ao maravilhoso amor de Deus, que, em Cristo, sofreu em favor de pecadores desprezíveis, não seria surpresa se estas emoções fossem, às vezes, avassaladoras. Emoções extremas e os efeitos físicos que as acompanhavam não eram necessariamente evidências de experiências falsas que teriam vida curta.

Mas, como alguém poderia provar isso? Edwards tinha visto muitos casos em que supostos convertidos foram levados por entusiasmo contagiante, mas, a longo prazo, não mudaram seus caminhos. Ele vira também casos, às vezes de longa duração, em que tais convertidos pareciam amar mais a sua própria experiência do que a Deus, mais orgulhosos de seu novo *status* espiritual do que mudados em seu coração. As preocupações de Edwards com tais abusos era algo que ele tinha em mente quando advertiu contra julgamentos imediatos sobre a situação da alma de outras pessoas. Quando aconselhava os convertidos, como no caso da jovem Deborah Hathaway, ressaltava que eles deveriam mostrar profunda humildade. Conhecendo a capacidade de engano do coração humano como ele conhecia – e, sem dúvida, refletindo percepção em suas próprias lutas – também advertia que o orgulho poderia disfarçar-se em humildade excessiva. Às vezes, as pessoas enganam até a si mesmas.

À luz destas complexidades, Edwards tentou oferecer em *Afeições Religiosas* algumas diretrizes para distinguir entre verdadeira e falsa religião. Somente Deus, ele enfatizou, poderia saber o verdadeiro estado do coração de alguém. Quaisquer testes que pudéssemos inventar deixariam alguma incerteza. Apesar disso, a Escritura revelou muitos sinais da verdadeira fé, e Edwards apresentou o que esperava fosse uma lista definitiva, constituída de 12 desses sinais. Aqueles que acreditavam que Deus estivesse agindo em seu coração poderiam usar esses sinais como guias para o verdadeiro viver cristão.

Vários desses sinais estavam relacionados à ênfase central de Edwards em que a experiência religiosa verdadeira tinha de focalizar-se nas excelências de Deus e não na própria pessoa. A essência da experiência cristã era ter um senso verdadeiramente tocante do amor e da beleza de Deus, revelados mais plenamente no sacrifício de Cristo. Essa gratidão, se verdadeiramente sincera, atrairia a pessoa de seu egoísmo para amar a Deus e aos outros. Outros sinais estavam ligados às qualidades de "semelhança com Cristo", tal como a atitude de ser como "ovelha" ou "pomba", e ao que o Novo Testamento chama de "fruto do Espírito", como paciência, bondade e cordialidade. O sinal culminante era que afeições verdadeiras resultariam em prática cristã verdadeira.

Como na maioria das tradições religiosas, boas obras eram essenciais para os verdadeiros seguidores. É claro que, como um calvinista, Edwards também deixou claro que uma pessoa não era salva por boas obras ou por seguir um conjunto de regras. Apesar disso, as boas obras eram tremendamente importantes, por serem o melhor teste da fé verdadeira. Se as afeições ou amores fortes de uma pessoa fossem absorvidos em amor a Deus, isso seria seguido por boas obras, mostrando que a pessoa amava o que Deus amava. Se as boas obras fossem poucas, havia possibilidade de que a fé não fosse genuína.

Por volta de 1746, quando *Afeições Religiosas* apareceu, Edwards havia se posicionado firmemente entre os dois extremos em referência ao Grande Avivamento e definido uma posição para o evangelicalismo moderado. Ele era um dos mais fortes apoiadores dos avivamentos, mas se manteve firme em desafiar seus excessos e os entusiasmos temporários. Avivamentos, insistiu Edwards, devem ser testados por afeições e comportamentos duradouros que eles geraram. Essa preocupação, que amadurecera grandemente desde o entusiasmo inicial de Edwards no avivamento de 1734-35, surgiu mais particularmente de suas experiências durante esse período na volúvel cidade de Northampton.

Joseph Badger, Reverendo Jonathan Edwards (1703-1758) B.A. 1720, M.A. 1723.

Cortesia da Galeria de Arte da Universidade de Yale - Legado de Eugene Phelps Edwards

Robert Feke, Retrato de Benjamin Franklin (1746),
um dos poucos retratos de Franklin jovem.

Cortesia do Museu de Arte "Fogg", da Universidade de Harvard -
Legado de Dr. John Collins Warren, 1856, H47.

Joseph Badger, Sra. Jonathan Edwards (Sarah Pierpont).

Cortesia da Galeria de Arte da Universidade de Yale - Legado de Eugene Phelps Edwards

Concepção da Northampton do fim do século XVII, conforme visão do artista do século XX Maitland de Gorgoza.

Cortesia da Biblioteca Forbes em Northampton, Massachusetts.

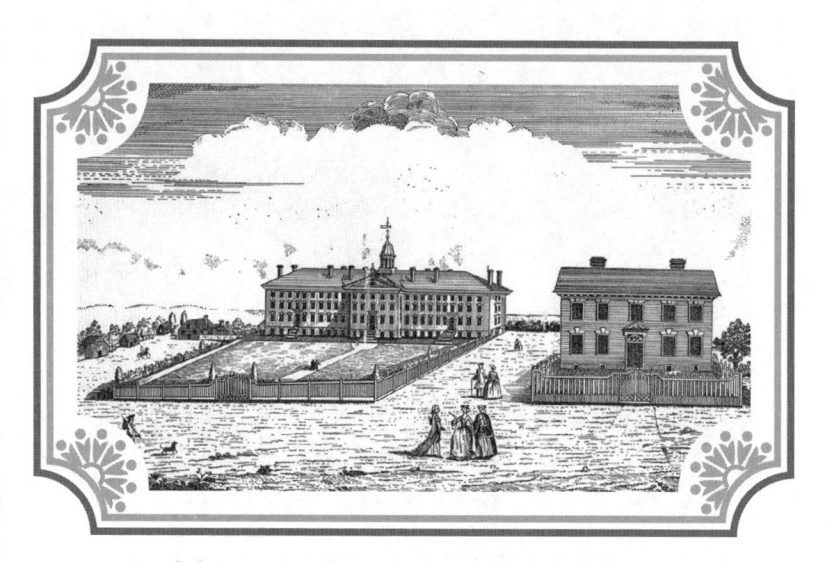

Entrada de Nassau e casa do presidente, Princeton, onde Edwards morreu.
Ilustração de Henry Dawkins

Cortesia do dpt. de Arquivos de Livros Raros e Coleções Especiais da Universidade de Princeton.
Foto: Biblioteca da Universidade de Princeton.

George Whitefield pregando para soldados em Boston.

Ilustração em John Gillies, Memórias do Rev. George Whitefield
(Hartford, Connecticut: E. Hunt, 1853).

Escrivaninha de Jonathan Edwards, modificada com prateleiras para livros, 1700-130.
Ele modificou a escrivaninha original para providenciar mais espaço para seu trabalho.

Cortesia da Galeria de Arte da Universidade de Yale.

A Casa da Missão, Stockbridge, Massachussetts.
Lar de Abigail Williams Sergeant Dwight, rival de Edwards.

Foto cortesia dos administradores da Reserva.

CAPÍTULO SEIS

Drama em Northampton

O papel de Edwards nos avivamentos o colocou no cenário mundial, mas as cenas mais pungentes de sua vida se realizaram em uma pequena cidade fronteiriça e em meio a uma família enorme. Durante os anos da década de 1740, suas esperanças, às vezes exageradas, quanto aos avivamentos foram temperadas com as realidades de seus sempre contenciosos paroquianos. Na década de 1730, Northampton se tornou famosa internacionalmente, mas os anos entre 1740 e 1750 se mostraram os mais dramáticos na história da cidade. Começando com o enlevamento espiritual seguinte à visita de Whitefield, terminaria com a demissão de Edwards de seu pastorado. Nesse período, a cidade foi o cenário de um grande escopo de conflitos humanos, grandes e pequenos. E a enorme família de Edwards (seu décimo primeiro filho nasceu em

1750) começava a ficar adulta. Durante a década turbulenta de 1740, eles experimentariam êxtase espiritual, amor, hostilidades, ameaça de índios, sacrifício, morte, conflitos e rejeição.

Quase logo depois que Whitefield deixou Northampton, em outubro de 1740, Edwards iniciou uma campanha para evitar uma repetição do que acontecera depois do avivamento de 1734-35, quando muitos dos moradores de Northampton se afastaram de seu fervor de avivamento. A pregação de Whitefield deixara a congregação em lágrimas, mas Edwards tinha visto essas lágrimas antes e temeu outro ciclo de "falsas conversões". Logo depois da partida de Whitefield, Edwards pregou uma série de nove sermões (as igrejas realizavam dois cultos cada domingo: pela manhã e à tarde) sobre a "Parábola do Semeador", com base em Mateus 13. Na história contada por Jesus, o semeador lançava a semente, que representava a pregação do evangelho. Uma parte caiu à beira do caminho e foi devorada pelas aves. Uma parte caiu em solo rochoso e brotou rapidamente, mas morreu por falta de raiz. Uma parte caiu em solo de espinhos e cresceu, mas foi sufocada pelas ervas daninhas. Outra parte caiu em solo bom e produziu muito fruto. O principal objetivo do sermão era advertir os habitantes de Northampton que se enquadravam nas primeiras três categorias. Alguns eram tão endurecidos que Edwards disse que preferiria "pregar para os homens de Sodoma". Outros, na segunda e terceira categoria, eram hipócritas, que respondiam emocionalmente a um pregador como Whitefield, mas tinham uma fé superficial que não produziam fruto no passar do tempo.

Não importando os efeitos naqueles que sabiam ser o alvo destas admoestações, por volta da primavera outro avivamento estava a caminho, especialmente entre os jovens. Desta vez o avivamento foi parte do "Grande Avivamento" que estava varrendo toda a Nova Inglaterra, bem como outras colônias britânicas na América. Novamente, Edwards se reuniu em particular com jovens e crianças em várias casas. Desta vez, porém, como acontecia em outros lugares, as respostas em forma de clamores e efeitos físicos foram muito mais extravagantes. O verão era o mesmo em que o sermão "Pecadores nas Mãos de um Deus Irado", de Edwards, provocou convulsões de temor e alegria em Enfield, como ele já tinha visto em sua cidade, primeiro entre os jovens e, depois, se propagando aos outros. Algumas reuniões de grupos menores nos lares se tornaram grandemente intensas. Alguns clamavam em voz alta, alguns desmaiavam, e outros eram tomados por fortes reações físicas. Em algumas reuniões à noite, pessoas ficavam tão abatidas fisicamente que tinham de passar a noite ali.

A família Edwards e sua cidade

Ver estas coisas entre pessoas que ele conhecia tão bem deve ter sido uma das coisas que convenceram Edwards a defender tão vigorosamente o Grande Avivamento, embora tivesse bastante consciência, desde o primeiro avivamento em Northampton, da capacidade de engano de emoções enlevadas. Um fator pessoal que renovou suas esperanças foi que seus próprios filhos foram envolvidos. No final de 1741, suas filhas Sally, Jerusha e Esther tinham, respectivamente, 13, 11 e 9 anos. Pouco depois da partida de Whitefield em 1740, Edwards escrevera animadamente que tinha esperança de que salvação já houvesse chegado "a um, senão mais, de seus filhos", dentre os resultados da visita do evangelista. Jerusha se tornara conhecida como um modelo de espiritualidade.

Sarah Edwards, que se revelara espiritualmente precoce quando Edwards a admirou, pela primeira vez, cantando para Deus nos campos, era, nesse tempo, um exemplo espiritual semelhante a Edwards para a família. Nossos melhores vislumbres de Sarah e de sua espiritualidade procedem do inverno de 1741-42, quando o envolvimento de Northampton no Grande Avivamento continuou a intensificar-se. Aconteceu que em dezembro de 1741, Samuel Hopkins, um rapaz de 22 anos, graduado em Yale e admirador de Edwards veio para a casa dele. O próprio Hopkins se tornaria um teólogo importante, bem como o primeiro biógrafo de Edwards. Em 1741, ele era um aluno tímido, desanimado, porque não achava a experiência intensa que seus colegas acharam no avivamento. Como se Sarah ainda não tivesse muito que fazer, a família Edwards recebeu uma sequência de alunos que desejavam estudar com Jonathan. E logo Sarah retirou Hopkins de sua miséria. Ela lhe proveu "luz e consolo" e lhe assegurou de que ela acreditava que "Deus tencionava fazer grandes coisas por meu intermédio, etc." Hopkins escreveu depois: "Ela não pouparia esforços para fazer com que [visitantes] fossem bem recebidos e prover o necessário para seu conforto e conveniência. Ela era especialmente amável para com os estrangeiros que vinham à sua casa".

Os deveres domésticos de Sarah eram, às vezes, esgotantes, e não é surpreendente que Edwards tenha relatado que, apesar de seu comportamento caloroso e extrovertido para com os outros, ela poderia experimentar longos períodos de melancolia. Os lares do século XVIII, como o da família Edwards, não eram divididos estritamente em "esferas separadas" à maneira da classe média da era vitoriana posterior, quando as mulheres, apesar de seus deveres domésticos, eram frequentemente consideradas delicadas e deviam ser protegidas. Mesmo um lar de elite, como o de Edwards, refletia algo muito próximo dos afazeres de uma propriedade agrícola. Os lotes das casas em Northampton incluíam partes para jardinagem, e parte da renda do pastor vinha de cultivar um dos muitos terrenos que circundavam a cidade. No caso da família Edwards, com Jonathan trabalhando o dia todo em seu escritório, Sarah agia como um tipo de "representante do marido". Ela não somente supervisionava o lar, as refeições e seus muitos filhos, mas também os servos (incluindo uma velha escrava africana – da qual falarei mais adiante) e as operações de cultivo. Hopkins observou que Jonathan raramente sabia quantos animais eles possuíam, enquanto Sarah mantinha supervisão de toda a operação. Sarah administrava tudo isso enquanto estava quase sempre ou alimentando uma criança ou grávida. Samuel Hopkins relatou que, no cuidar de seus muitos filhos, Sarah tinha o cuidado de quebrar a vontade da criança ao primeiro sinal de obstinação, mas sempre disciplinava "com toda a calma e gentileza de coração". De acordo com o admirador Hopkins, as "brigas e contendas" que vemos frequentemente entre as crianças "não eram conhecidas entre eles".

Em janeiro de 1742, quando o Grande Avivamento na Nova Inglaterra atingiu seu auge, Sarah experimentou um tempo de admirável êxtase espiritual. Jonathan sairia da cidade por duas semanas para pregar em outras igrejas, e o lar dos Edwards estava cheio de um constante fluxo de convidados. Enquanto

Jonathan esteve fora, vários ministros e pregadores itinerantes da vizinhança vieram para alimentar os fogos do avivamento em Northampton em uma série de reuniões.

Sarah era sensível ao que as pessoas da cidade diziam a respeito de Jonathan. O salário dos pastores era negociado cada ano nas reuniões da cidade, e Edwards destacava frequentemente que sua renda não acompanhava a inflação. As pessoas da cidade diziam que a família gastava demais, citando o gosto de Sarah por roupas e até por uma jóia ocasional. As pessoas da cidade também eram prontas a criticar Jonathan. Sarah era particularmente sensível aos cochichos de que um pregador visitante tinha mais sucesso do que seu marido. Sarah também poderia ser devastada por qualquer desaprovação da parte de Jonathan e ficara recentemente entristecida por sua crítica branda sobre algo que ela dissera a um dos pastores convidados. Sarah via todas estas sensibilidades e ressentimentos como faltas de sua parte e orava fortemente a Deus, suplicando graça para vencê-las.

Em meio a essas lutas e num ajuntamento com os convidados do lar para as orações do meio da manhã, Sarah se viu repentinamente capaz de submeter sua vontade totalmente a Deus. Ela foi tomada de uma euforia e um senso de paz que "eram totalmente inexpressíveis". Admiravelmente, esses êxtases continuaram e aumentaram durante as duas semanas seguintes, por isso Sarah experimentou um tipo de "Elísio celestial" ou um "senso arrebatador das alegrias indizíveis do mundo superior". Durante esses dias, ela era muitas vezes tomada fisicamente, por isso poderia se erguer involuntariamente da cadeira ou sentir-se tão transportada espiritualmente que caía num desmaio. Em meio a essa euforia espiritual, ela continuava a realizar alegremente seus deveres domésticos. Quando, durante a segunda semana, um jovem evangelista fervoroso de 22 anos, chamado Samuel Buell, pregou com grande eficácia numa reunião do meio da semana, Sarah não somente se achou livre da inveja do sucesso dele, mas também foi uma entre os fortemente tocados pela pregação poderosa. Tomada fisicamente, ela permaneceu na casa da reunião por três horas conversando com outros sobre as coisas espirituais. Ela se sentiu tão subjugada à vontade de Deus e tão dominada por sua graça, que acreditava poder aceitar qualquer coisa, até um desastre em sua família, abuso ou martírio.

Quando Jonathan voltou, sentiu deleite em ouvir dos êxtases de Sarah, tanto que fez um registro completo de todo o caso que ela ditou. Em sua defesa ampla dos avivamentos, *Alguns Pensamentos Concernentes ao Avivamento Presente da Religião na Nova Inglaterra*, publicada no outono de 1742, ele incluiu uma versão da história de Sarah, mas disfarçou sua identidade e gênero. Essa experiência, argumentou ele, foi evidência conclusiva de que fervores extremos e êxtases dos avivamentos não poderiam ser rejeitados como experiências de pessoas imaturas, afetadas por algum "descontrole recebido do Sr. Whitefield ou do Sr. Tennet". Antes, ele testificou, aconteceu com um dos mais maduros e autênticos cristãos que ele já conhecera. Depois de 15 anos de casamento, Jonathan admirava Sarah como um modelo espiritual tanto quanto quando era uma moça. "Se isto for distração", ele disse, "peço a Deus que a humanidade seja toda tomada por esta distração benigna, mansa, beneficente, sublime e gloriosa!"

Edwards também achou o povo da cidade, sob o ministério de Buell, num estado de comoção religiosa, de maneiras que excediam quaisquer coisas que haviam experimentado antes. Alguns *Novas Luzes* radicais, de Suffield, acompanharam Buell, e estavam excitando pessoas da cidade a extremos. Mesmo quando Edwards ficou tão feliz com o estado de êxtase de Sarah, achou alarmantes as emoções ardorosas de algumas outras pessoas. O efeito do avivamento não foi tanto em novas conversões, mas em experiências extremas por aqueles que já se confessavam cristãos. Para muitos, essas manifestações eram "muito além" de qualquer coisa que experimentaram antes. Alguns caíram em transes inertes de 24 horas de uma única vez. Outros sentiram que foram transportados ao céu e estavam tendo visões gloriosas. Logo se tornou evidente, Edwards escreveu depois, que "Satanás se aproveitou" das pessoas. Provavelmente, elas estavam se envolvendo em mensagens extrabíblicas e reivindicações de mensagens da parte de Deus, condenação de outros e coisas semelhantes. Apesar disso, Buell permaneceu com Edwards duas ou três semanas, quando labutavam para impedir que as pessoas "ficassem descontroladas".

Edwards também procurou tornar o fervor do avivamento em algo permanente, combinando-o com uma instituição religiosa mais velha: o pacto público. Os fundadores puritanos haviam colocado muita ênfase em pactos, que eram baseados nos modelos de promessas contratuais do Antigo Testamento entre Deus e Israel. Em resposta à promessa de Deus de cuidar de seu povo fiel, o povo prometera obedecer a Deus, especialmente por seguir seus mandamentos. Em março de 1742, quando a cidade ainda estava num estado de excitação, Edwards os guiou numa cerimônia solene de renovação de seu pacto com Deus.

No pacto que Edwards elaborou para Northampton, as pessoas da cidade prometeram guardar-se de seus velhos caminhos ímpios. Edwards estava tentando evitar uma repetição da apostasia que tinha visto depois do avivamento anterior. Em meio ao seu entusiasmo espiritual, eles prometeram, em grande detalhe, como procurariam seguir as regras estritas de honestidade, justiça e retidão, não defraudando uns aos outros, não altercando nem brigando, mas tratando uns aos outros com caridade ou a lei do amor. Jovens prometeram evitar reuniões e diversões que os afastassem da religião ou estimulassem concupiscências. Todos votaram trabalhar com empenho nos deveres religiosos. Reconhecendo que essas resoluções seriam testadas por suas permanentes inclinações pecaminosas, eles prometeram examinar-se fielmente e renovar seu pacto, especialmente antes de cada celebração mensal da Ceia do Senhor.

Edwards permaneceu imensamente esperançoso quanto aos avivamentos que reverberavam pelas colônias no início de 1742. Em *Alguns Pensamentos Concernentes ao Avivamento Presente da Religião na Nova Inglaterra*, que ele terminou por volta da primavera daquele ano, Edwards chegou a comentar que avivamentos poderiam ser "o alvorecer ou, pelo menos, o prelúdio daquela gloriosa obra de Deus, citada tão frequentemente na Escritura, que em seu progresso e disseminação renovará toda a humanidade". Os leitores saberiam que ele se referia à chegada do milênio, que muitos cristãos acreditavam seria uma era maravilhosa de mil anos no final da história da humanidade. Como muitos outros intérpretes protestantes da Bíblia em seu tempo, Edwards acreditava que, depois desta maravilhosa era culminante, Jesus Cristo retornaria em julgamento, seguido por um novo céu e uma nova terra. Embora Edwards não tenha explicado plenamente seus pontos de vista em *Alguns Pensamentos*, ele acreditava que o início do milênio estava em algum tempo distante (talvez começando por volta de 2000 AD) e que, nesse tempo, haveria grandes avanços espirituais para a igreja e muitas aflições, guerras e perseguições quando Satanás atacasse de volta. Por isso, ao falar de "alvorecer ou, pelo menos, um prelúdio", Edwards queria dizer algo como os reflexos de luz vistos antes de um dia começar realmente. Além disso, ele tinha uma opinião muito otimista sobre para onde a história humana se encaminhava e mantinha uma estima sobremodo elevada da importância do avivamento como um ponto de mudança nessa história.

    O comentário de Edwards sobre o "alvorecer ou, pelo menos, o prelúdio daquela gloriosa obra de Deus" poderia não atrair muita atenção se ele não tivesse acrescentado o comentário adicional de que "há muitas coisas que tornam provável que esta obra começará na América". Vários dos seus leitores, incluindo amigos como o celebrado autor e escritor de hinos Isaac Watts, na Inglaterra, o criticaram por essa elevada estimativa do destino da América. Edwards logo se arrependeu do comentário e o desaprovou. Em meados da década de 1740, o avivamento pareceria diferente para ele, especialmente quando visto pelas lentes de sua experiência em Northampton.

Um visionário e um aristocrata natural

A mudança no relacionamento de Edwards com seus paroquianos em Northampton nos oferece a melhor oportunidade para refletirmos sobre que tipo de pessoa ele era. Edwards era um visionário entusiasta, um intelectual de primeira classe e um asceta intenso, que vivia em um mundo bastante real de uma família enorme e ativa, numa cidade volúvel e frequentemente contenciosa. Como um visionário, Edwards tinha a habilidade de inspirar pessoas, especialmente no avivamento de 1734-35, quando pareceu ter quase toda a cidade a ouvi-lo afetuosamente. Durante o Grande Avivamento de 1741-42, ele ganhou audiência ampla outra vez, embora talvez com um pouco mais de dissidentes nesta ocasião. Ainda que Edwards aparentasse austeridade, parece que ele obteve parte de seu melhor sucesso trabalhando em grupos menores e com os jovens. Sua intensidade e lógica perfeitamente clara parecem ter sido combinadas a um sentimento de interesse genuíno, o qual alcançou muitas pessoas.

Motivado por sua visão teológica de que o relacionamento amoroso e fiel com Deus era a coisa mais importante na vida e que todos os outros amores deveriam ser subordinados a esse relacionamento, Edwards estabeleceu um padrão de fé e prática que era difícil manter para a maioria das pessoas. Ele mesmo era extraordinariamente disciplinado na vida espiritual. Gastava muito tempo em orações regulares, tanto em particular quanto em tempos diários com sua família. Diz-se que ele gastava 13 horas por dia em seu escritório. Esse costume esgotante se refletiu tanto na extraordinária obra ética quanto na intensa disciplina espiritual. Edwards regulava estritamente a sua dieta, que acreditava o ajudaria a trabalhar mais eficazmente e a preservar sua saúde delicada. Ele vivia quase como um monge em meio a um mundo agitado. Para fazer intervalos, ele poderia cortar lenha no inverno, ou cavalgar pelos campos no verão para meditação e contemplação espiritual. Não querendo desperdiçar tempo, mas achando difícil carregar tinta e papel, Edwards alfinetava papéis em sua jaqueta para lembrá-lo de escrever depois seus pensamentos mais proveitosos. Ele podia manter os mais elevados padrões de disciplina para si mesmo. Mas estes padrões poderiam ser desencorajadores para outros.

Edwards sabia que não era bom em conversas triviais em situações sociais. Em parte por essa razão, ele não fazia muitas visitas pastorais rotineiras aos membros de sua congregação. Achava que gastaria melhor seu tempo no escritório, embora durante os avivamentos os membros de sua congregação se enfileirassem para vê-lo ali. Seu aluno e biógrafo, Samuel Hopkins, insistia em que a acusação de Edwards sobre ser *"reservado* e *insociável"* não tinha fundamento, porém muitas pessoas o consideravam assim. Hopkins respondeu que entre seus amigos, quando conversava sobre assuntos sérios, Edwards era um conversador animado. Tanto a acusação quanto a resposta são provavelmente verdadeiras. Qualquer pessoa que compartilhasse dos interesses profundos e espirituais de Edwards o acharia uma pessoa de comunhão fascinante; aqueles que não desfrutassem de sua comunhão o veriam como muito sério e intimidante.

Para entendermos e apreciarmos Edwards, precisamos também levar em conta quão diferentes eram as coisas que sua sociedade aceitava como normais, especialmente no que diz respeito a hierarquia e igualdade, comparadas com o mundo ocidental de hoje. A história de Rip Van Winkle nos lembra de quanto o mundo pareceria virado de cabeça para baixo se alguém tivesse dormido durante a Revolução Americana. Edwards, que morreu em 1758, viveu totalmente antes dessa era dramática de mudança e antes das novas ideias de igualdade social se tornarem difundidas. Ele era um cidadão britânico, que aceitava como normais muitas ideias britânicas de hierarquia e deferência social. As colônias tinham pouquíssima aristocracia nomeada, mas tinham o que John Adams e Thomas Jefferson reconheceriam, mais tarde, poderia ser chamado uma "aristocracia natural". Na Nova Inglaterra, isso incluía não somente "homens nobres" que podiam servir como juízes e magistrados, mas também clérigos que demandavam respeito especial naquela cultura moldada pela religião. Edwards admitia que essas duas elites deveriam cooperar intimamente. Em Northampton, ele trabalhava em comunhão com seu tio, o coronel John Stoddard, que era um clérigo fiel, um líder militar, um tipo de responsável pela cidade e a pessoa mais frequentemente eleita para representar Northampton na legislatura colonial ou designado como juiz regional.

Escravidão

A sociedade de Edwards, no século XVIII, era totalmente patriarcal. Naquele tempo, "patriarcado", ou governo e cuidado do pai, era considerado uma questão de senso comum, e prover tal governo e cuidado era considerado virtuoso. Para seu bem-estar, a maioria das pessoas dependia de relacionamentos e, particularmente, de seus relacionamentos com seus superiores sociais imediatos. Idealmente, estes relacionamentos deveriam ser como o de um pai e o de uma família. O pai mantinha toda a autoridade, mas deveria governar amorosamente. No casamento, por exemplo, a maioria das pessoas achava quase impensável que marido e mulher fossem iguais. Quem estaria no controle? Parecia óbvio que, em toda a natureza e sociedade, Deus ordenara que alguns fossem mais fortes e outros mais fracos. Subordinados deveriam depender de seus superiores, e superiores deveriam cuidar daqueles que Deus lhes confiara.

É neste contexto que devemos tentar entender como quase todos naquele tempo aceitavam a escravidão como algo normal, como uma instituição social. Até muitos dos africanos não se opunham, em princípio, à escravidão ou ao comércio de escravos; suas sociedades participavam de ambos. Apesar disso, os africanos se ressentiam das maneiras cruéis e desumanas com que eram praticados a escravidão e o comércio de escravos no contexto europeu, especialmente porque os africanos eram separados para o pior tipo de escravidão. Os europeus, incluindo colonos americanos, não viam essa distinção. Para eles, a instituição da escravidão era tão antiga quanto a memória humana. Muitas pessoas, incluindo camponeses ou servos na terra de um nobre, muitos servos contratados, cativos em guerra e prisioneiros trabalhavam mais ou menos involuntariamente e em sujeição aos seus senhores. A Bíblia não condenava a escravidão como tal. Apenas recentemente surgira a instituição moderna de escravatura baseada *racialmente* em africanos. Com ela, vieram as crueldades do brutal comércio de escravos, movidas pelo princípio capitalista de achar meios mais eficientes de se obter lucro. Nos interligantes sistemas de comércio que moldavam o mundo atlântico, as economias das colônias americanas ficaram logo profundamente emaranhadas numa rede de troca que tratava os africanos como mercadoria. Contudo, a maioria dos colonos via isso apenas como uma evolução na antiga prática de escravidão e não como uma revolução cruel.

Antes da época da Revolução Americana, somente a minoria diminuta de colonos falava contra a escravidão, embora muitos outros ficassem incomodados com algumas práticas escravagistas. Benjamin Franklin, por exemplo, possuía escravos durante essa época e, em seu jornal, anunciava escravos que estavam à venda e fazia anúncios para o retorno de escravos fugitivos. Somente mais tarde, durante a Revolução Americana, ele falou contra a escravidão e o comércio de escravos. Quando os americanos começaram a pensar em si mesmos como escravos da Grã-Bretanha, muitos compreenderam a infelicidade análoga dos escravos africanos. Franklin viveu no decorrer do que pareceu ser uma grande mudança de coração de toda uma geração. O filho de Edwards, Jonathan Edwards Jr., e o discípulo mais próximo de Edwards, Samuel Hopkins, se tornaram advogados antiescravagistas na era da revolução. Mas nos dias de Edwards, para a maioria das pessoas, ainda parecia realmente muito estranho dizer que comprar e vender escravos era errado em si mesmo. Muitas pessoas piedosas raciocinavam que escravos individuais que eles poderiam comprar seriam relativamente melhores como membros de uma boa família.

Parece que Jonathan e Sarah Edwards possuíam uma família feminina de escravos. Sabemos que uma destas mulheres, Leah, se tornou um membro comungante da igreja durante o avivamento de 1734-35. Em todos os avivamentos era comum achar uns poucos africanos e índios incluídos entre os convertidos. Edwards afirmava que todos os povos são "da mesma raça humana" e que isto oferecia uma razão contra "o abuso do servo por parte de seu senhor". Embora acreditasse que pessoas procedentes de culturas não cristãs sofressem de deficiências religiosas, ele pensava que um dia, à medida que o evangelho se propagasse e o milênio se aproximasse, haveria grandes teólogos africanos e americanos natos. Uma vez que fizessem parte da igreja, africanos e índios deveriam ser tratados como espiritualmente iguais. Parece que homens africanos e índios tiveram o direito de votar nas reuniões da igreja. No entanto, igualdade espiritual não significava igualdade social. A Nova Inglaterra, como o resto do mundo ocidental, era tão hierárquica quanto os militares são hoje. Assento na igreja, por exemplo, era determinado por classe social.

    Edwards registrou seus pontos de vista sobre a escravidão e o comércio de escravos apenas uma vez e apenas em anotações fragmentadas que ele rabiscou, aparentemente, para uma reunião. No final de 1741, Edwards foi chamado a um conselho ministerial em resposta a uma disputa entre paroquianos e o ministro de uma cidade vizinha. Alguns paroquianos haviam criticado o ministro por, entre outras coisas, possuir escravos. Em uma época em que brancos da Nova Inglaterra quase nunca questionavam a legitimidade da escravidão, Edwards achou a acusação tão incomum, que a julgou frívola, suscitada apenas para causar problemas. Quase sempre inclinado a defender autoridade, Edwards anotou como alguém poderia reagir a tal acusação. A Bíblia certamente permitia a escravidão como ela era praticada no mundo antigo. Ao mesmo tempo, Edwards reconheceu que não havia nenhuma justificação bíblica para a prática de europeus escravizarem qualquer africano de pele negra que pudessem obter, identificando assim a nova questão crítica na escravidão moderna. Como resultado, ele estava chegando à compreensão de que o comércio de escravos era errado. Todavia, ele não tinha muito de um revolucionário para propor a abolição de todo um sistema socioeconômico. Na família de Edwards, essa vocação teria de vir para a geração seguinte.

Rebeldes sem (muito de) uma causa

Em Northampton, o instinto de Edwards de apoiar autoridade tradicional começava a colocá-lo em desarmonia com a nova cultura americana emergente, na qual muitos questionariam as antigas hierarquias. Edwards herdara de Solomon Stoddard uma tradição de domínio ministerial sobre a cidade. Essa autoridade, que ele trabalhou para preservar, acentuou um papel duplo que os pastores protestantes tinham de cumprir. Ele era, ao mesmo tempo, o ministro do evangelho que proclamava a doutrina da graça e o principal oficial da igreja, a pessoa responsável por supervisionar a execução da lei da igreja. Visto que, em Northampton, a igreja e a cidade eram mais ou menos equivalentes, seu papel como principal disciplinador da igreja envolvia uma importante dimensão social. Em teoria, a lei e a graça deviam complementar uma a outra, mas na prática a maneira como um ministro lidava com um ofensor poderia endurecer o paroquiano contra os remédios do evangelho e causar ressentimentos na cidade.

No caso de Edwards, essas tensões levaram a um dos incidentes mais bizarros e prejudiciais de seu ministério. Em março de 1744, apenas dois anos depois do avivamento atingir o seu auge, Edwards descobriu que, por um bom tempo, alguns jovens estiveram circulando dois livros para seu contentamento sexual. Os livros não eram escandalosos. Um livro era apenas um texto sobre o trabalho de parteira. O outro era uma publicação britânica popular sobre anatomia e sexualidade humana, com uma conotação brandamente excitante. Este incidente é conhecido como o episódio do "livro mau", mas, de fato, a preocupação de Edwards não era com os livros, e sim com o modo como eles estavam sendo usados: alguns dos rapazes envolvidos estavam usando as informações contidas nos livros para perturbar moças e provocá-las quanto ao seu ciclo menstrual e outras questões sexuais.

Edwards teria considerado as brincadeiras rudes sobre assuntos sexuais ou sobre estes livros como incidentes de pouca importância, exceto por duas coisas. Primeira, a questão tomou uma dimensão *pública*. O problema não era apenas os rapazes falando sobre sexo atrás do celeiro; eles estavam provocando grosseiramente as mulheres. No século XVIII, a expressão "assédio sexual" não existia, mas isso era o que estava acontecendo. O fato de que Edwards tinha filhas adolescentes que sabiam de alguns dos incidentes o tornou, certamente, mais sensível a essas questões.

Além disso, Edwards não teria reagido tão fortemente se não houvesse outro fator: a maioria dos homens jovens eram membros da igreja. Não eram rapazes adolescentes de 14 anos que deveriam ser disciplinados por seus pais; eram rapazes em seus 20 anos. No pacto de Northampton, dois anos antes, os jovens, que na época estavam no auge de sua espiritualidade coletiva, tinham prometido solenemente "evitar com rigor toda liberdade e familiaridade quando em companhia do sexo oposto, que tendessem a estimular ou a satisfazer uma paixão de lascívia". No entanto, mesmo naquele tempo, alguns rapazes já haviam compartilhado os livros e feito brincadeiras com seu conteúdo, pelo menos entre eles. Para Edwards, isso não era uma questão relativamente trivial, porque alguns desses mesmos rapazes participaram simultaneamente da comunhão mensal na igreja. A Escritura advertia fortemente contra "comer e beber para condenação de si mesmo", ao participar da Ceia do Senhor de maneira indigna. Edwards havia advertido a sua congregação, repetidas vezes, de que as pessoas que participassem do pão e do vinho de maneira hipócrita ou sem arrependimento eram como aquelas que estiveram na crucificação de Jesus e zombaram dele. De fato, alguns dos rapazes haviam brincado a respeito dos livros secretos chamando-os "a Bíblia dos rapazes".

Aparentemente movido por esta combinação de preocupações carregadas de emoções, Edwards lidou mau com a situação. Primeiramente, depois de um culto na igreja, ele anunciou de maneira pública a natureza da ofensa e leu, também, uma lista de nomes de rapazes e moças que deveriam se reunir com uma comissão para investigar o problema. Ao ler esta lista, Edwards deixou de fazer distinção entre os acusados e aqueles que eram apenas testemunhas. Alguns rapazes de famílias importantes estavam no último grupo. Portanto, quando os paroquianos voltaram para casa, procedentes da igreja, grande parte da cidade estava "em chamas" quanto ao problema. A investigação se estendeu por meses, e as pessoas da cidade se dividiram sobre o problema. Em uma confrontação vívida, vários dos jovens esperaram por Edwards à porta de casa para se reunirem, com uma intimidante comissão judicial da igreja, incluindo o coronel John Stoddard, o principal magistrado e juiz da região. À medida que o tempo se arrastava, Timothy Root, um dos principais ofensores (e membro comungante da igreja), perguntou se poderia sair e voltar. Quando lhe disseram "não", Timothy anunciou em voz alta: "Eu não respeitarei uma peruca". Ele e seu primo Simeon saíram para a taverna local. E declarou (num bom exemplo de como uma visão calvinista inferior sobre a natureza humana pode tornar alguém um revolucionário) que os membros da comissão "são nada mais do que homens formados de um pouco de imundície", "não dou um excremento" e "não dou um peido" por qualquer deles. A insubordinação foi, então, acrescentada às acusações originais.

Os líderes do tumulto, os irmãos Root e outro jovem, foram por fim censurados. Edwards, porém, perdeu mais do que ganhou. O pastor que antes havia conquistado grande sucesso com seu ministério entre os jovens, parecia agora muito frágil, um reacionário que fazia uma tempestade em copo d'água. Assim, outra vez ele ficou desapontado com o modo como, uma vez esfriados os fogos do avivamento, a cidade revertera à sua habitual trivialidade, altercação e falta de espiritualidade.

Este pequeno drama se tornou um ponto de mudança psicológico no relacionamento de Edwards com seus paroquianos de Northampton. Até essa altura, apesar de discussões recorrentes, as pessoas da cidade aceitavam bem Edwards, frequentemente com entusiasmo. Ele as tinha levado a auges espirituais e os guiara através dos vales escuros. Todavia, os meados da década de 1740 seriam tempo especial de provação. A cidade foi testada por conflitos e um recurso incomum de doença e morte. Edwards lutaria para conduzi--los através das provações, mas desta vez não seria capaz de reacender os fogos do avivamento.

CAPÍTULO SETE

Um Mundo em Conflito

Alguns que elaboram teorias sobre avivamentos religiosos supõem que estes são produtos de tensões sociais e, por isso, acontecem mais provavelmente em tempos de mudança rápida e estresse elevado. A experiência de Northampton é contrária a tais suposições. Os anos de 1734 a 1742, quando aconteceram os avivamentos mais intensos, não foram tempos de mudança social incomum ou de conflito externo. Os meados dos anos 1740 parecem mais um período de provação para a cidade, e foi nesse tempo que os avivamentos diminuíram. Edwards, que assistiu de perto a essas coisas, acreditava que outros conflitos frequentemente afastavam as pessoas dos interesses religiosos.

Tempo de guerra

A deflagração da guerra contribuiu grandemente para mudar a atmosfera em Northampton e ampliar outras tensões. Na primavera de 1744 (nesse mesmo tempo Northampton estava numa indecisão a respeito de seus rapazes), a França se uniu à Espanha contra a Grã-Bretanha na Guerra da Sucessão Austríaca (1740-1748). Visto que a Nova França ficava ao norte da Nova Inglaterra, isso trouxe para mais perto dos habitantes da Nova Inglaterra o que eles chamaram a "Guerra do Rei George". De imediato, a entrada da França na guerra significou a renovação das ameaças de ataques indígenas. O coronel John Stoddard era o principal comandante militar na Massachusetts ocidental e logo se encarregou de supervisionar uma nova linha de fortes na direção oeste. Isso, pelo menos, inibiu ataques no Vale do Rio Connecticut por parte de índios leais aos franceses.

No inverno e na primavera de 1745, Northampton esteve profundamente envolvida em outra dimensão da guerra – uma das mais antigas demonstrações do que se tornaria um padrão característico de uma mistura americana de patriotismo e piedade em resposta a um conflito internacional. Os franceses tinham um grande forte em Louisbourg, na ilha Cape Breton, perto da Nova Escócia, que ameaçava o transporte marítimo e a atividade pesqueira da Nova Inglaterra. Quando a guerra eclodiu, o governador de Massachusetts apareceu com um plano audacioso: que os habitantes da Nova Inglaterra navegassem com uma força militar até Louisbourg, para tomar o forte. Pessoas que todas as partes da Nova Inglaterra abraçaram a aventura. De Northampton, o major Seth Pomeroy levantou uma companhia de 50 homens da região para se unirem à expedição. William Pepperell, do Maine, um leigo piedoso que chegou a ser admirado por Edwards, foi nomeado comandante-chefe para liderar as forças da Nova Inglaterra.

A Nova Inglaterra não tinha um exército profissional nem muita experiência militar. Contudo, sendo a região mais protestante das colônias, eles tinham fortes suspeitas dos católicos ao norte e possuíam fortes esperanças de que poderiam tomar a fortaleza franco-católica. Valendo-se de seu legado puritano, a Nova Inglaterra apoiou a campanha com oração conjunta e dias especiais de jejum. Os *Novas Luzes* e os *Velhas Luzes* deixaram de lado temporariamente suas diferenças e se uniram no que Edwards chamou "extraordinário espírito de oração", maior do que qualquer acontecimento público que ele testemunhara. Coincidentemente, George Whitefield retornou à região quando eram formulados os planos para a expedição. Ressentimentos contra alguns de seus comentários divisores permaneciam fortes, mas Whitefield moderou seu tom e ajudou a unir a região no esforço de guerra. Ele pregou para as tropas e deu ao exército um tipo de lema de cruzados, "*Nil desperandum Christo duce*" (Não precisamos temer com Cristo como nosso líder). Northampton, como outras cidades, tinha dias de jejum, e parentes de soldados se reuniam regularmente para orar pelo sucesso das tropas.

Benjamin Franklin, em Filadélfia, embora desejasse o bem para os seus patrícios da Nova Inglaterra, duvidava que a dependência deles em oração melhoria as perspectivas do exército amador. Escrevendo a John, seu irmão mais velho, usou um pouco de sátira, que poderia ter servido a uma peça de "Silence Dogood", se o velho *New England Courant* ainda estivesse em circulação. "Alguns parecem pensar que fortes são tomados tão facilmente como respirar", ele zombou. Referindo-se aos dias de jejum e a todas as outras orações diárias nos lares da Nova Inglaterra, ele calculou que, desde quando a expedição começou, em fevereiro, até quando estava escrevendo, em maio, já teria havido "45 milhões de orações, que, confrontadas com as orações de alguns poucos sacerdotes dirigidas à virgem Maria, no forte, dava uma grande vantagem em seu favor". Se os moradores da Nova Inglaterra perdessem, como Franklin esperava claramente, "receio que terei uma opinião indiferente sobre as orações dos presbiterianos nesses casos, enquanto eu viver". Ele acrescentou uma palavra de conselho aos piedosos: "De fato, quanto a atacar cidades fortes, devo ter mais confiança em *obras* do que em *fé*".

Infelizmente, a sátira de Franklin não foi publicada, visto que teria havido uma refutação clássica da parte de Edwards, pois aconteceu que o cerco funcionou e a grande fortaleza foi tomada pelos colonos da Nova Inglaterra. Edwards e outros pregadores da Nova Inglaterra viram as muitas circunstâncias que levaram à vitória como miraculosas. O clima singularmente bom ajudou no desencadeamento da expedição, e demoras posteriores no clima impediram a expedição de chegar antes do gelo derreter. Os franceses estragaram as coisas em momentos cruciais. Quando os ingleses estavam prestes a desistir de várias semanas de cerco e tentar um ataque desesperado contra as muralhas (que, devido a uma trincheira oculta, eram duas vezes mais altas do que pareciam), a guarnição francesa se rendeu. Edwards concluiu que tudo foi "uma dispensação de providência, a mais notável em seu tipo, que tem existido em muitas épocas, e uma grande evidência de que Deus é aquele ouve orações".

Alianças nacionais, nesse tempo, ainda tinham grandes componentes religiosos, como tiveram desde a Reforma. A Europa estava dividida entre protestantes e católicos em um tipo de "guerra fria", que irrompia periodicamente em conflito. Alianças nacionais eram determinadas pela fé do monarca, e as nações poderiam mover-se de uma igreja para outra como resultado de uma mudança ou conquista de uma dinastia. Na Inglaterra, esses conflitos haviam sido intensos. De 1685 a 1688, o rei da Inglaterra, James II, da casa de Stuart, fora católico. Quando um príncipe protestante, Guilherme de Orange, invadiu a Inglaterra e depôs James II, os protestantes saudaram isso como "Revolução Gloriosa", especialmente porque acabou com a ameaça imediata de uma tomada do poder totalmente católica. A Inglaterra se uniu com a Escócia presbiteriana, em 1707, para formar a Grã-Bretanha, com a provisão explícita de que os monarcas sucessivos deveriam ser protestantes. Quando o primeiro rei George, da família germânica de Hanover (agora, Windsor) assumiu o poder em 1714, os habitantes da Nova Inglaterra os saudaram como defensores do "interesse protestante".

Pouco tempo depois dos habitantes da Nova Inglaterra agradecerem a Deus por sua vitória gloriosa sobre os franceses em Louisbourg, a ameaça católica romana à própria Grã-Bretanha ressurgiu dramaticamente. No outono de 1745, Charles Edward, o herdeiro católico da casa de Stuart, aportou na Escócia, proclamou a si mesmo rei e moveu um exército para a Inglaterra. O "Belo Príncipe Charles", como o chamavam os seus apoiadores católicos das Terras Altas da Escócia, ou o "Jovem Pretendente", como era conhecido pelos protestantes, não foi vencido por completo até a sangrenta batalha de Culloden, em abril de 1746.

Edwards, que tinha vários correspondentes de ministério na Escócia, acompanhou os eventos com grande interesse e viu, novamente, a extraordinária obra de Deus na derrota do Jovem Pretendente. A lealdade do pastor de Northampton à Inglaterra tinha um elemento paradoxal. Por um lado, fiel à sua herança puritana, ele lamentava que a Inglaterra fosse religiosamente relaxada e, apesar de alguns avivamentos populares, estivesse piorando o tempo todo, especialmente em sua moralidade e na propagação de pontos de vista liberais de teologia associados com o Iluminismo. Por outro lado, Edwards via a política internacional com as lentes do Antigo Testamento. À luz desse ponto de vista, via a Grã-Bretanha, os reis hanoverianos e seus exércitos como levantados por Deus para propagar a causa protestante. Se o protestantismo deveria ser bem-sucedido em suas missões aos índios na América do Norte por exemplo, como Edwards esperava ardentemente, então, os poderes católicos teriam de ser derrotados para abrir o caminho.

Os pontos de vista políticos de Edwards sobre a sua terra natal anteciparam, em alguns aspectos, o que se tornaria um padrão característico no evangelicalismo americano posterior. Embora os protestantes conservadores lamentassem desde muito tempo o declínio moral e a depravação de sua nação na política doméstica, no que diz respeito à política estrangeira, eles viam Deus apoiando a causa americana. Viam frequentemente a expansão americana como uma oportunidade designada por Deus para missões cristãs. Edwards via os negócios britânicos estrangeiros através das categorias católica e protestante da sua época. Para os cristãos americanos posteriores, outras lealdades, tais como os ideais políticos americanos, obscureciam e substituíam explicitamente os interesses eclesiásticos por política estrangeira. As diferenças políticas entre católicos e protestantes recuou e quase desapareceu, mas, para muitos americanos, o padrão geral de ver a mão de Deus no destino da América e em missões permaneceu.

A PAZ MILENAR VINDOURA

Edwards estruturou suas intensas lealdades protestantes num elaborado sistema de interpretação bíblica que era mais peculiar à sua época. O ponto de vista de Edwards sobre a história e o fim dos tempos era o que hoje chamaríamos de "pós-milenismo", significando a crença de que Cristo retornaria à terra somente *depois* de uma era dourada milenar. (A maioria dos evangélicos protestantes de nossos dias é "pré-milenista", significando que creem que Jesus retornará a terra *antes* do reino milenar sobre o qual ele governará pessoalmente). Edwards e muitos outros intérpretes pós-milenistas de seus dias eram tão bíblicos quanto os intérpretes hoje, e procuravam cuidadosamente interpretações literais de profecias bíblicas, mas trabalhavam com base em premissas moldadas pelo conflito da Reforma. Os intérpretes protestantes pressupunham que o "Anticristo" do livro de Apocalipse devia ser o papado. E fizeram vários cálculos de quanto tempo haveria até que o anticristo fosse destruído, abrindo o caminho para o milênio. Quando Edwards lia os jornais, procurava cuidadosamente qualquer coisa que sinalizasse um revés para os poderes católicos e copiava tais notícias em um caderno. Derrotas católicas e a propagação mundial de avivamentos eram as principais coisas que tinham de acontecer a fim de preparar o mundo para o milênio, o que Edwards pensava poderia chegar por volta do ano 2000.

Uma característica fascinante do milenismo de Edwards é que ele era muito mais otimista do que a maioria das pessoas imaginava. Ele acreditava que o mundo inteiro seria evangelizado em preparação para o milênio vindouro. Nessa última era dourada, que duraria mil anos literais, quase todos se tornariam verdadeiros cristãos, devido a avivamentos mundiais. Isso significava que a vasta maioria de pessoas que viveram seria salva eternamente. Edwards (que, como Benjamin Franklin, gostava de contar coisas) estava ciente de que a população da Europa começava a expandir-se em proporções geométricas. Projetando essa tendência para o futuro, ele calculou que mais de 90% das pessoas na história do mundo viveriam nos séculos ainda vindouros e que grande maioria delas seria salva. O aumento da população seria também favorecido pelo fim das guerras e pela redução das doenças que a conversão das massas envolveria. Numa era dourada, quando quase todos fossem cristãos, paz e justiça reinariam, e todos se beneficiariam de reforma moral e social amplamente difundida.

Portanto, quando Edwards viu o declínio do avivamento em sua própria terra, valeu-se de sua perspectiva global mais otimista para sustentar seu entusiasmo quanto à promoção de avivamentos internacionais. A Escócia havia experimentado grandes avivamentos semelhantes aos ocorridos nas colônias; e em 1747 Edwards publicou um livro que tinha o propósito de promover um "concerto de oração" com os avivadores na Escócia. Ele afirmou toda a sua tese no título nada atraente:

> Uma tentativa humilde de promover concordância explícita e união visível do povo de Deus por meio da

Palavra, em oração extraordinária, em favor do avivamento da religião e do avanço do reino de Cristo na terra, de acordo com a promessa da Escritura e as profecias concernentes aos últimos tempos.

Nessa obra, ele explicou que reveses e perseguições temporários da igreja deveriam ser esperados, embora o progresso da obra do Espírito Santo de Deus fosse inevitável. Derrotas do anticristo católico romano, como a ocorrida em Louisbourg ou a do "Jovem Pretendente" na Escócia, ajudaram a confirmar a agência da mão de Deus no padrão geral.

Missões aos índios

Vivendo como Edwards vivia, na fronteira de um império protestante com franceses católicos e índios ao norte e ao oeste, as suas intensas lealdades, tanto protestante quanto britânica, não eram apenas subprodutos abstratos de teologia. Eram questões sobremodo práticas, de vida e morte. A possibilidade dos ataques indígenas era uma das coisas que definiam a vida no Vale do Rio Connecticut. Em 1704, os índios e os seus oficiais franceses haviam atacado a cidade de Deerfield, em Massachusetts, a apenas 25 quilômetros de Northampton, matando 39 pessoas e levando mais de 100 pessoas em cativeiro. Os habitantes da Nova Inglaterra ficaram horrorizados pelo "Massacre de Deerfield", e, especialmente durante tempos de guerra, muitos viviam em terror de outro episódio semelhante. As famílias Edwards e Stoddard eram muito temerosas desses ataques; a tia de Edwards, enteada de Solomon Stoddard, e dois dos seus primos morreram pelas mãos dos índios. O tio, o Rev. John

Williams, e os filhos remanescentes foram levados em cativeiro para o Canadá. Tempos depois, os Williams que sobreviveram foram "resgatados" do cativeiro e voltaram para o lar. No entanto, uma filha mais nova, Eunice, se recusou a voltar, adotando os modos indígenas e, para grande horror de sua família, se convertendo ao catolicismo. Por anos, todos da Nova Inglaterra oraram por sua restauração, e este foi um dos assuntos de oração em família entre os quais Edwards cresceu. Em 1740, Eunice e seu marido índio visitaram seu irmão, o Rev. Stephen Williams, em Longmeadow (Massachusetts). Edwards, que era um amigo íntimo de Stephen, veio para pregar na ocasião, mas sem qualquer resultado.

As dolorosas experiências da família tornaram o grande clã dos Williams, Stoddard e Edwards zelosos em promover missões aos índios. Eles reconheceram que o fracasso em manter amizade com os nativos era uma das grandes deficiências da Nova Inglaterra. Depois de um começo promissor de missões aos índios sob o ministério de John Eliot, em meados do século XVII, a Guerra do Rei Philip, em 1675-76 – a mais destrutiva para cada indivíduo, na história americana – alienou permanentemente muitos dos índios e obstruiu o sucesso dos esforços de missões protestantes.

O coronel John Stoddard tinha um interesse especial nesses esforços. Como jovem soldado, ele estivera na casa dos Williams quando esta foi destruída pelos índios no Massacre de Deerfield, em 1704. E salvara a sua vida por pouco. Nos anos posteriores, John Stoddard não somente se tornou um líder militar responsável pela defesa contra os ataques dos índios, mas também um importante negociador em tentar manter a paz com eles. Stoddard aconselhava aos britânicos que não sabiam trabalhar com os índios, que deviam lidar honestamente com eles, se é que queriam manter a confiança deles. No final dos anos de 1730, logo depois do primeiro avivamento em Northampton e no Vale do Rio Connecticut, John Stoddard e vários membros da extensa família Williams ajudaram a organizar uma pequena missão em Stockbridge (Massachusetts), nas montanhas do canto sudoeste da colônia.

Edwards, influenciado pela história de família e por sua esperança de avivamento do mundo inteiro, já estava profundamente interessado em missões aos índios quando foi, de modo dramático, confrontado pela personificação da causa em 1747. Naquela primavera, David Brainerd, um missionário de 29 anos, que ministrava aos índios, veio gravemente enfermo para a casa de Edwards, a fim de passar seus últimos meses de vida. Brainerd havia sido um dos alunos do grupo *Nova Luz* mais fervorosos em Yale, quando Edwards falou ali em 1741, e fora expulso, entre outras coisas, por seu comentário de que um dos tutores "não tinha mais graça do que uma cadeira". O rapaz provara, desde então, sua profunda dedicação espiritual ao empreender sozinho as mais árduas viagens missionárias às florestas da Pensilvânia, embora recompensado com pouco sucesso. Posteriormente, ele obteve resposta melhor quando trabalhou numa vila indígena em Nova Jersey, mas sua obra foi encurtada pela tuberculose.

A combinação da dedicação de Brainerd em evangelizar os índios e a situação em Northampton foi dramática. Desde o verão anterior, enquanto continuava a Guerra do Rei George, a cidade estivera vivendo sob a constante tensão de um possível ataque indígena. O lar dos Edwards teve de ser "fortificado", e Jonathan escreveu à sua filha Esther, que visitava alguém em Long Island durante o verão de 1746: "Aqui, temos estado em muito temor de que um exército ataque repentinamente a cidade, à noite, para destruí-la". Durante esses anos, pequenos bandos de índios haviam atacado a vila adjacente de Southampton várias vezes, matando alguns de seus habitantes. Embora Northampton tenha escapado de ataque direto, ela se sentia frequentemente como se estivesse sob cerco de um inimigo invisível.

Quando Brainerd chegou, em maio de 1747, Sarah Edwards tinha ganhado recentemente seu décimo filho. A casa lotada também incluía pelo menos um outro pregador *Nova Luz*, Eleazar Wheelock (que depois fundou uma escola para índios e o *Darmouth College*), que também ficara doente e se recuperava ali. O cuidado de Brainerd caiu para a segunda filha mais velha, Jerusha, que acabara de completar 17 anos. A amizade de Jerusha e Brainerd logo se tornou uma lendária e comovente história de amor.

Jonathan admirava grandemente e amava Brainerd por sua espiritualidade intensa, e Jerusha pode ter se mostrado pronta a dedicar-se ao cuidado de Brainerd pela mesma razão. Ela era, talvez, a mais profundamente espiritual dos filhos do casal Edwards. Recebera o mesmo nome da irmã mais nova de Jonathan, que também fora bem conhecida por sua santidade e morrera antes dos 20 anos. A piedade da filha de Edwards foi moldada pelos mesmos fogos do avivamento que produziu a experiência notável de sua mãe. Quando se decidiu, em junho, que Brainerd poderia se beneficiar de uma viagem a cavalo até Boston, Jerusha o acompanhou para cuidar dele. Depois que retornaram a Northampton, a saúde de Brainerd declinou continuamente. Jerusha permaneceu ao seu lado para assistir-lhe até à sua morte em outubro. Quando estava morrendo, Brainerd disse a Jerusha: "Se eu pensasse que não a veria e não ficaria feliz com você no outro mundo, não suportaria deixá-la. Mas passaremos juntos uma eternidade feliz".

A consequência amarga foi que, apenas quatro meses depois, Jerusha ficou repentinamente enferma de causas desconhecidas. Ela morreu dentro de uma semana. Jonathan ficou desolado. Para um correspondente na Escócia, ele confidenciou que Jerusha era "considerada geralmente a flor da família". Em Northampton, o pai entristecido falou sobre um tema do livro de Jó: "A juventude é como uma flor que murcha". Ele se regozijou com a recompensa celestial da filha, mas também usou a ocasião para desafiar os jovens a endireitarem seus caminhos. O que aconteceria se um deles fosse o próximo? O que aconteceria se o melhor que um pai pudesse dizer no funeral fosse: "Este meu filho que partiu era um eminente festejador, um cavalheiro, uma companhia divertida?" A família Edwards, segura quanto à fé piedosa de sua filha, sepultou-a ao lado de Brainerd, simbolizando a sua eternidade juntos.

Edwards ficara tão impressionado com o exemplo espiritual de Brainerd, que deixou de lado o que considerava um tratado crucialmente importante sobre a liberdade da vontade para editar os diários dele. Jerusha provavelmente o ajudou a produzir *A Vida de David Brainerd*. Nesta obra, Edwards estava mais interessado na vida espiritual íntima de um santo que sacrificou tudo pelo reino de Deus do que no drama da sua vida missionária.

A Vida de David Brainerd se tornou a mais popular das grandes obras de Edwards. Durante o século XIX, muitos missionários levaram-na consigo em suas viagens, sendo inspirados pelo registro das lutas espirituais de Brainerd e sua dependência de Deus. Na época anterior à cultura moderna de consumo, os americanos piedosos viam o ego tipicamente como algo a ser controlado e suprimido no serviço a Deus e aos outros seres humanos. Posteriormente, o ideal alternativo de que o ego precisa ser celebrado e de que a autossatisfação é o principal objetivo da vida chegou a ser o tema mais proeminente na América. Antecipações desse ideal posterior já estavam presentes no tempo de Edwards, representados mais notoriamente na *Autobiografia* de Benjamin Franklin, essencialmente a história de um homem que obteve sucesso por si mesmo. Todavia, na maior parte do século XIX, a obra de Edwards *A Vida de David Brainerd* ofereceu um modelo de renúncia pessoal que competia com o ideal de Franklin, como um relato clássico americano do que significava ser verdadeiramente satisfeito.

Conflito em Northampton

Em Northampton, Edwards ficava cada vez mais incomodado quanto a ter de lidar com rapazes que aspiravam a independência pessoal e não a renúncia pessoal obediente, segundo o modelo de Brainerd. Embora no final da década de 1740 ninguém imaginasse que em 20 anos Massachusetts estaria nos primeiros estágios de uma importante revolução política, a geração de homens que liderariam aquela revolução já estava entrando em cena no tempo de Edwards. Algumas das ideias e atitudes que floresceriam em ideologia revolucionária estavam começando a surgir. Particularmente, a geração seguinte questionaria a tradição de controle estrito da sociedade vindo de cima para baixo, tal como Edwards e seu patrono John Stoddard aceitavam como normal em Northampton. Edwards se depararia com o reflexo destes novos ideais antes do alvorecer de uma nova era revolucionária.

Uma dimensão dos "direitos de homens", enquanto este estava emergindo nessa sociedade dominada por homens, era que isso significa precisamente direitos dos *homens* e não, incidentalmente, seu direito por mais liberdade sexual. Benjamin Franklin, por exemplo, mostrou pouca consideração pela instituição do casamento. Edwards se opôs fortemente a essas tendências. Em seu sermão no funeral de Jerusha, ele contrastou a espiritualidade dela com algumas práticas comuns dos jovens, como "aquele costume lascivo de tocar os seios das mulheres e o de sexos diferentes deitarem-se juntos na mesma cama". Este último se referia ao costume de "embrulhamento" da Nova Inglaterra, em que os pais permitiam casais ainda não casados passarem a noite juntos na cama, contanto que totalmente vestidos. Embora se pensasse que isso fosse uma alternativa "segura" ao intercurso sexual, nem sempre funcionava dessa maneira: até em Northampton, que era mais conservadora do que muitas outras partes da Nova Inglaterra, um em cada dez casais unidos por casamento tinha seu primeiro filho dentro de oito meses de matrimônio. Contanto que os casais se unissem por casamento, a igreja aceitava as confissões e vivia com as realidades.

Edwards era insistente em que os casais tinham de casar-se, admitindo que o pai poderia ser identificado. Essa foi a questão em demanda num caso particularmente inquietante que surgiu em 1747, envolvendo um de seus primos mais novos, o tenente Elisha Hawley. O jovem oficial era de uma das principais famílias de Northampton. Era filho de Joseph Hawley, o tio próspero de Edwards que cometeu suicídio no auge do primeiro avivamento em 1735. Elisha reconheceu que era o pai dos gêmeos (somente um sobreviveu) de Martha Root. A família Root era de uma classe social inferior, e as duas famílias concordaram num acerto em dinheiro no lugar do casamento. Edwards, porém, insistiu em que os dois deveriam casar. Não era correto, ele argumentou, que um homem tivesse prazer com uma mulher e, depois, pudesse comprar a isenção de uma responsabilidade de longa duração. O caso se arrastou por dois anos. Por fim, um conselho de ministros locais decidiu contra Edwards, dizendo que, se Hawley confessou seu pecado, então, o acordo financeiro seria uma alternativa aceitável a um casamento inapropriado. Talvez a consequência mais importante dessa balbúrdia foi que o irmão mais velho de Elisha, Joseph Hawley Jr., um futuro juiz na comunidade, se voltou contra o tio. Aparentemente, Edwards havia sido tutor de Joseph Jr., que estudara em Yale e planejara originalmente entrar no ministério. Depois de ter servido como capelão durante a guerra, Joseph Jr. voltou com pontos de vista teológicos mais liberais. Quando irrompeu a disputa sobre o casamento, ele tomou o lado de seu irmão mais novo e ficou contra seu pastor e tio.

Uma revolução Intempestiva

Esses incidentes não teriam sido nada mais do que disputas inevitavelmente desagradáveis numa cidade pequena, se Edwards não estivesse planejando seu próprio tipo de revolução.

Como já vimos, muito tempo antes, seu avô Solomon Stoddard afrouxara as exigências para que alguém fosse um membro de igreja comungante em Northampton. Basicamente, o padrão de Stoddard fora o de que, para ser um membro de comunhão plena da igreja, incluindo a participação na comunhão, ou seja, na Ceia do Senhor, uma pessoa tinha apenas de afirmar a doutrina cristã, concordar em viver como um membro de igreja obediente e ter uma vida livre de escândalos. Quando Stoddard instituiu essas mudanças uns 70 anos antes, elas foram um afastamento da antiga prática puritana. Jonathan provavelmente sempre esteve incomodado com essa prática mais livre em Northampton, mas, por um tempo, aprendeu a viver com ela.

Nessa altura ele estava determinado a reverter esse procedimento duradouro em Northampton. Como muitos outros cristãos, ele levava muito a sério a advertência bíblica de que, na Ceia do Senhor, "quem come e bebe sem discernir o corpo, come e bebe juízo para si" (1Co 11.29). Edwards seguia a tradição puritana de interpretar este versículo em termos de uma aliança. O pão e o vinho da Ceia do Senhor simbolizavam o corpo e o sangue de Cristo como um selo das promessas mais solenes entre Cristo e os crentes. Aqueles que participassem da Ceia levianamente zombavam dessas promessas – e faziam isso ao risco de si mesmos. Se, como o avivamento ressaltou, a conversão à crença sincera era tão importante, e se a Bíblia advertia que a Ceia do Senhor era somente para verdadeiros crentes, Edwards sentia a necessidade de colocar sua igreja em harmonia com esses ensinos.

Infelizmente, esse não era o melhor tempo para fazer isso. De certo modo, Edwards havia insinuado em *Afeições Religiosas*, de maneira indistinta, em 1746, sua mudança de opinião sobre alguém ser membro de igreja e que estivera testando sua mudança, em particular entre amigos e visitantes, mas não revelara isso às pessoas da cidade. Durante a guerra, a igreja estava num período de estagnação, e Edwards esperava por um caso em que alguém pedisse para ser membro comungante da igreja e que, conforme ele tinha certeza, pudesse satisfazer os novos e mais elevados padrões. Nesse tempo uma calamidade interveio. Em junho de 1748, o coronel John Stoddard foi acometido de um derrame enquanto estava em Boston para tratar de negócios militares. Por ser o diretor das operações militares na fronteira ocidental, ele estivera sob pressão por algum tempo. Embora Massachusetts tivesse uma linha de fortes para protegê-la, estes eram uma defesa contra os ataques dos índios excessivamente penetráveis. Em um ponto ele escreveu: "Eu tenho tantos mensageiros com más notícias como Jó os tinha, embora não tenha tamanha paciência". Stoddard havia sido, também, o principal organizador de um ataque planejado a Quebec – um esforço que se tornou um aprimoramento nas guerras americanas – mas nunca foi realizado. Quando Stoddard teve o derrame, foi Sarah Edwards (que pode ter estado em Boston sozinha) quem cuidou dele. Poucos dias depois, ele morreu.

    A morte de Stoddard criou uma lacuna momentosa nos afazeres da liderança de Northampton. Nesta sociedade hierárquica, Stoddard tinha supervisionado a cidade como seu principal magistrado, juiz e líder militar. Era também intensamente piedoso, o leigo mais influente na igreja, um aliado íntimo e patrono de Edwards. Para que Edwards revertesse de modo eficiente o padrão de Solomon Stoddard quanto a alguém ser membro da igreja, ele teria primeiramente de ganhar o apoio do filho de Solomon Stoddard, que era, presumivelmente, leal aos caminhos de seu falecido e honrado pai.

No entanto, repentinamente era tarde demais para fazer isso. Mas Edwards prosseguiu mesmo assim. Em dezembro de 1748, um rapaz piedoso apareceu à procura de se tornar um membro comungante da igreja, e Edwards lhe pediu que assinasse uma declaração de que isso equivaleria ao que ele considerava uma profissão "crível" de fé sincera. Isso pareceu suspeito para muitas pessoas da cidade, como se Edwards houvesse esperado até que John Stoddard estivesse fora do caminho para atacar os procedimentos de Solomon Stoddard. Algumas pessoas ficaram muito irritadas, e o rapaz retirou seu pedido, não querendo ser a ocasião para tal controvérsia explosiva. Edwards continuou em sua insistência, e no final da primavera ele encontrou uma moça qualificada que estava disposta a se tornar membro de comunhão plena segundo os termos dele.

Quando a questão explodiu, e a cidade irrompeu numa controvérsia veemente, Edwards se viu despreparado. Ele julgara sua reversão da posição de Stoddard como uma reforma *moderada*. Parecia moderada se alguém pensasse, como ele, em termos das questões maiores da época. Havia muito tempo que o velho legado puritano lutava com a tensão entre ser uma igreja pura, constituída apenas de crentes comprovados, ou ser uma igreja estatal, abrangendo mais ou menos toda a comunidade. Os puritanos americanos do século XVII exigiam um relato de conversão, frequentemente incluindo passos específicos para que alguém se tornasse membro comungante. Stoddard e seus seguidores tinham seguido na direção oposta.

Edwards desejava algo entre as duas posições: os novos membros comungantes teriam de oferecer apenas uma "profissão crível" de compromisso sincero, não um relato bem elaborado de sua conversão. Ele acreditava que isto era suficiente para proteger a pureza da igreja, enquanto, ao mesmo tempo, permitiria que a adesão à igreja estivesse aberta a todos na cidade que mostrassem evidência razoável de verdadeira conversão.

Edwards também queria manter uma igreja sustentada por impostos para toda a cidade, em vez de recorrer ao separatismo. Em muitas cidades da Nova Inglaterra, os *Novas Luzes* radicais, insistindo numa igreja pura constituída apenas de convertidos, haviam se retirado da igreja estabelecida para formarem uma nova congregação. Esse zelo pós-avivamento dividiu muitas das cidades da região. E, além da ruptura, por esse tempo, alguns poucos *Novas Luzes* separatistas deram um passo adiante e se tornaram batistas. Estes radicais argumentavam que o batismo infantil era um remanescente do velho sistema de igreja estatal, em que se presumia que toda criança da comunidade se tornaria, por fim, um membro de igreja batizado. Por contraste, eles insistiam em que somente o batismo de adulto era coerente com a ideia de que a igreja deveria ser constituída apenas de convertidos. Este movimento batista, que surgira dos avivamentos na Nova Inglaterra, logo se difundiria para o sul e, depois, se tornaria o maior tipo de protestantismo nos Estados Unidos.

Edwards queria evitar o separatismo e certamente não tinha tempo para os batistas, mas estava propondo algo que muitas pessoas da cidade viram como igualmente divisor. Logo descobriram que Edwards, além de elevar as exigências para alguém se tornar um membro comungante da igreja, estava propondo estreitar os padrões para outra ordenança, o batismo. A maior parte da Nova Inglaterra, incluindo Northampton, tinha praticado durante várias gerações o que era chamado "pacto do meio termo". Como vimos no capítulo 3, isto significava que crianças batizadas da igreja que como adultos não se tornavam membros de comunhão plena, apesar disso, ainda seriam considerados "membros de meio termo" e, por isso, poderiam ter *seus* filhos batizados. As promessas da aliança, de acordo com o ensino reformado, se estendiam de geração a geração; por isso, os habitantes da Nova Inglaterra tinham adotado essa prática, que permitia quase todos na comunidade serem batizados.

Quando os moradores de Northampton descobriram que Edwards queria revogar os padrões do respeitado Solomon Stoddard para a admissão de membros de comunhão plena *e* proibir o batismo de crianças dos membros de meio termo, muitos ficaram furiosos. Em Northampton, como na maior parte da cristandade, o batismo para a introdução na comunidade cristã parecia um direito de nascimento. Ora, ele precisava ser removido, para que Edwards criasse uma igreja mais pura. O que aconteceria se os netos de um indivíduo não fossem batizados? Edwards afirmou posteriormente que acreditava ser capaz de convencer a maioria a reverter a política de Stoddard referente à admissão para membros comungantes (embora estivesse sendo, talvez, muito otimista quanto a isso), mas que ficou evidente que seus paroquianos não cederiam em referência às restrições dele quanto ao batismo.

A família Edwards e a cidade sofreram durante um ano horrível de controvérsia. As pessoas da cidade realizaram inúmeras reuniões oficiais e não oficiais. O líder da oposição a Edwards era seu sobrinho Joseph Hawley Jr., o jovem advogado. Muitos outros membros mais velhos que veneravam a memória de Solomon Stoddard também se opuseram a Edwards. Mesmo antes de Edwards propor sua revolução, as pessoas da cidade já altercavam com o pastor. As reuniões anuais da cidade nas quais se definia o salário do pastor eram frequentemente mesquinhas. Edwards ressaltou, repetidas vezes, que seu salário nunca acompanhava a inflação e argumentou que precisava de mais recursos para sua família sempre crescente. Northampton, acreditava Edwards, era uma cidade especialmente inclinada a contendas, e ele pregava com frequência sobre isso. Os anos de guerra tinham somente piorado isso. Os moradores de Northampton viviam ansiosos quanto à possibilidade de ataque de índios, mas outro inimigo, frequentemente mais devastador, se ocultava entre eles, visto que era doença galopante. Entre 1745 e 1748, uns 140 cidadãos morreram ou cerca de um em cada sete habitantes. Nessa altura, todas as tensões e frustrações reprimidas na cidade explodiram na controvérsia entre as pessoas antes famosas por sua intensa piedade e o famoso pastor.

Confiando em seus poderes intelectuais, Edwards acreditava que poderia persuadir a maioria das pessoas por meio de argumentos. Até publicou um tratado sobre a ocasião. Mas as mentes já estavam formadas. Finalmente, a questão foi resolvida pela convocação de um conselho de clérigos e leigos de dez igrejas da vizinhança. Quando o conselho fez uma pesquisa de votação entre os membros da igreja, apenas 23 dentre os 230 homens que votavam apoiavam Edwards. O conselho visitante já estava dividido entre as linhas facciosas, e numa votação apertada concordaram, com a maioria da cidade, em demitir Edwards imediatamente do seu pastorado.

Durante os procedimentos finais, Edwards manteve uma serenidade extraordinária, mas ficou profundamente ferido, até amargurado. Em seu sermão de despedida, que foi pregado oito dias depois da decisão, ele disse adeus formalmente à congregação que antes havia seguido tão entusiasticamente a sua liderança. Como um casamento que antes fora brilhante, mas se desfizera, a intensidade do relacionamento passado apenas acentuou a tristeza da partida. Edwards aproveitou a oportunidade para, uma vez mais, advertir os que o haviam rejeitado da sua preocupação com o estado da alma eterna deles. Também sugeriu, reivindicando vitória final não tão sutilmente, que, ao se reunirem novamente no julgamento final, seus adversários teriam algo do que prestar contas.

Aconteceu que as partes conflitantes se reuniram de novo muitas vezes antes do julgamento final. Edwards e sua família enorme não tinham para onde ir e precisaram ficar em Northampton durante mais um ano, enquanto ele procurava uma nova posição. Para tonar as coisas ainda mais embaraçosas, quando os líderes da igreja procuravam alguém para ocupar o púlpito, às vezes pediam a Edwards, deixando sempre muito claro que não tinham conseguido achar nenhuma outra pessoa.

A dolorosa demissão de Edwards nos diz algumas coisas sobre a sua personalidade e caráter. Primeiramente, revela que Edwards não era o juiz mais esperto das dinâmicas humanas. Sua escolha de tempo para tentar sua revolução logo depois da morte de John Stoddard foi desastrosa. Parece que ele também acreditava que poderia conquistar a congregação apenas pela força de argumentos. Parece que Edwards julgou errado o grau em que as coisas dependiam de muitos outros fatores. Aparentemente, ele subestimou o grau em que a maioria das pessoas da cidade tinham um senso de posse da igreja e do direito de seus filhos ou netos serem, pelo menos, membros batizados da igreja. Embora Edwards tenha se mantido firme na lógica de seus princípios, ele estava tentando reverter, de forma brusca, sensibilidades enraizadas. Como reconheceu mais tarde, ele não levou suficientemente em conta o grau em que muitas pessoas da cidade viam o grande Solomon Stoddard quase como uma deidade – e que elas, de acordo com isso, consideravam a defesa das opiniões dele como uma questão de dever religioso supremo.

Este episódio também ressalta o quanto Edwards foi motivado por dedicação a princípios. Embora seus conflitos com algumas pessoas da cidade tenham reduzido sua reserva de boa vontade, se ele não houvesse proposto uma revisão revolucionária das regras para alguém ser membro da igreja, seu pastorado teria quase certamente continuado indefinidamente. Edwards estava assumindo um grande risco e sabia disso, mesmo havendo calculado errado o tempo de fazer a revolução. Entretanto, visto que estava convencido de estar certo e estabelecera seu curso, ele estava disposto a sofrer severa e custosamente as consequências para si mesmo e para sua família, fazendo tudo por uma questão de princípios. Quer julguemos essa firme determinação para bem ou para mal, era uma característica consistente na vida de Edwards. Ela o moldou como pastor, evangelista, defensor de avivamentos e promotor de missões. E ficaria evidente na próxima direção que sua vida tomaria.

CAPÍTULO OITO

Um Missionário, um Erudito e um Presidente

Podemos imaginar a dor e a ansiedade para Edwards e sua família quando se depararam repentinamente com um futuro bastante incerto. Quanto mais permaneciam em Northampton, tanto pior a situação se tornava. Pouco depois de ser demitido do púlpito de Northampton, ainda no meio do verão, a cidade votou para impedir Edwards de usar as terras de pasto que lhes eram cedidas em bases anuais. No outono, a igreja votou não pedir-lhe que pregasse, mesmo se nenhum outro estivesse disponível. Logo alguns dos seus seguidores leais em Northampton começaram a insistir em que começasse uma congregação separada.

Edwards estava explorando outras possibilidades. Alguns de seus correspondentes na Escócia lhe pediram que fosse pastorear uma igreja lá. Ele rejeitou com base no fato de que estava relutante em mudar uma grande família através do Atlântico e, também, sugeriu que sua comprovada falta de habilidades administrativas poderiam desqualificá-lo para outra importante posição pastoral. Considerou duas responsabilidades menores na Nova Inglaterra, mas o que mais lhe interessava era a missão para os índios em Stockbridge, nas montanhas do canto sudoeste de Massachusetts. Ele visitou o lugar durante a maior parte do inverno e, depois, aceitou um chamado para pastorear sua pequena congregação de colonos da Nova Inglaterra e ser um missionário para os índios.

Transições

Muitas outras coisas aconteceram com a família de Edwards durante estes anos de crise e demissão da igreja. Suas filhas atraíram pretendentes por algum tempo. Samuel Hopkins, aluno de Edwards e, depois, seu biógrafo, que ficou na casa da família no início da década de 1740, pode ter sentido interesse pela jovem e muito espiritual Jerusha, a quem presenteou uma Bíblia há anos, antes dela ter um relacionamento romântico com David Brainerd. Sabemos que a filha mais velha, Sally, esteve se correspondendo com outro jovem que servia como missionário aos índios, Elihu Spencer, no inverno de 1748, pouco antes da doença e morte repentina de Jerusha.

Talvez o caso mais interessante ou, pelo menos, aquele que mais conhecemos seja o da terceira filha, Esther, que foi descrita como "de grande beleza". No outono de 1748, quando Esther tinha 16 anos, Joseph Emerson, um jovem pastor de Massachusetts, conheceu Edwards na formatura em Yale e viajou para casa passando por Northampton. Ali, como ele relatou em seu diário, conheceu "a família mais agradável com a qual alguém já conviveu", uma estimativa acentuada, sem dúvida, pelo fato de que ele estava desesperadamente apaixonado pela linda Esther. Ele retornou um mês depois para pedir a mão dela em casamento, mas ela não lhe deu nenhum encorajamento. Mais tarde naquele inverno, ele registrou sua distração contínua pelas esperanças não correspondidas e orou para que pudesse achar paz.

De vez em quando, as filhas mais velhas ficavam em casas de amigos da família, geralmente ministros em outras cidades. Tipicamente, um dos filhos acompanhava Jonathan em viagens para Boston ou New Haven. Em Boston, Esther desenvolveu uma amizade íntima com Sally Prince, a filha de um dos aliados mais próximos de Jonathan em Boston, o Rev. Thomas Prince, fundador da revista de avivamento *Christian History*. A esposa de Jonathan, Sarah Edwards, também gostava de viajar entre os períodos de gravidez, talvez em conexão com o desmame do último bebê. Quando uma dessas viagens a Boston se prolongou, devido à doença e morte repentina do coronel John Stoddard, um Jonathan exasperado, embora reconhecendo "as chamadas da providência com referência ao coronel Stoddard", escreveu que as duas filhas mais velhas tinham ido para a cama com "dor de cabeça" e que "temos estado sem você quase tanto tempo quanto sabemos estar".

Em casa, além do cuidado com os filhos mais novos, as filhas mais velhas se engajavam em outras atividades do lar. Talvez mantivessem ocupada a roda de fiar. Por um tempo, elas fizeram leques manualmente. Quando o papel era escasso, Jonathan usava as sobras dos leques para fazer algumas de suas muitas anotações. Um dos lembretes mais frequentes de Sarah era a citação de Jesus concernente a recolher o que sobrara depois de alimentar cinco mil homens, "para que nada se perca". Frugalidade era uma regra estrita na casa de Edwards.

As atividades do lar eram talvez acompanhadas por música. Sarah amava cantar, e Jonathan fora ativo em introduzir harmonia de quatro vozes no canto da congregação. Provavelmente, as moças também tocavam instrumentos musicais. Desde bem cedo, elas eram bem treinadas, principalmente no lar, em ler e escrever.

O ano de 1750 foi um tempo de mudanças importantes para a família, e, apesar da tristeza da rejeição, foi marcado por momentos de alegria. Na primavera, Sarah teve seu décimo primeiro filho (dez sobreviveram), o terceiro homem, Pierpont. A filha mais velha, Sally, tinha 21 anos. Elihu Spencer estava fora de cena, e em junho, pouco antes do conselho se reunir em referência à demissão de seu pai, ela se casou com Elihu Parsons, um homem de Northampton. Em novembro, sua irmã mais nova, Mary, que completara 16 anos na primavera, se casou com Timothy Dwight Jr., de uma das principais famílias de Northampton. A família Dwight estava entre os poucos que apoiavam Edwards, e o jovem casal, que permaneceu em Northampton, teve um relacionamento difícil com a igreja. O filho do casal, Timothy Dwight III, se tornou, em tempos posteriores, presidente de Yale e um dos mais influentes promotores do legado de Edwards na América do início do século XIX.

UMA FRONTEIRA MISSIONÁRIA EM TEMPO DE GUERRA

Durante o ano de 1750, a família se debateu com a ansiedade de não saber para onde poderiam ir; em 1751, enfrentaram a ansiedade de saber que iriam. Stockbridge ficava do outro lado das montanhas ásperas de Massachusetts ocidental e deve ter se parecido com o fim do mundo, comparada com Northampton. A pequena vila missionária, espalhada ao longo do rio Housatonic, era constituída de uns 200 índios e 10 famílias inglesas (da Nova Inglaterra). A ideia por trás da fundação da cidade nos anos de 1730 fora a de que os índios precisavam ser estabelecidos e civilizados de acordo com os padrões europeus, se tinham de ser evangelizados com sucesso. Sob o ministério de John Sergeant, o missionário original graduado em Yale, 125 índios foram batizados e 42 deles se tornaram membros comungantes da igreja.

O coronel John Stoddard havia sido um líder na fundação da missão, e muitos dos outros fundadores faziam parte da poderosa família Williams que se uniram por casamento à família Stoddard e, por consequência, eram relacionados a Edwards. O responsável original por Stockbridge foi Ephraim William Sr., o irmão mais novo do influente Rev. William Williams, de Hatfield (perto de Northampton). Ephraim Williams tinha uma filha muito inteligente e encantadora, Abigail, que ainda era adolescente quando a família mudou para Stockbridge, em 1737. Logo o missionário John Sergeant ficou profundamente apaixonado por Abigail, e os dois se casaram em 1739. Abigail tinha gostos requintados e construiu uma casa que era elegante para a época. Depois, John Sergeant teve um câncer de garganta e morreu logo.

A maior parte do clã Williams, embora predominantemente *Novas Luzes*, via seu sobrinho Edwards com alguma suspeita, especialmente depois que tomou posição contra os princípios de Solomon Stoddard para a aceitação de membros na igreja. Eles o achavam muito rígido, e Edwards tivera discussões com alguns dos "cavalheiros" mais jovens da família ampliada. A princípio, Abigail foi cautelosa em relação a Jonathan quando ele foi o candidato para ocupar a posição de seu falecido marido, mas, depois da longa visita de Jonathan a Stockbridge, no início de 1751, foi convencida, pelo menos temporariamente. Ela escreveu a uma amiga que "Ele é bem instruído, educado e espontâneo na conversa e mais cosmopolita [informado de tudo e mente aberta] do que eu supunha". O meio irmão de Abigail, o capitão Ephraim Williams Jr., tinha uma opinião muito mais negativa. Considerava Edwards "não sociável" e um "grande extremista". O professor da escola da cidade, Timothy Woodbridge, era favorável a Edwards, como a maioria dos membros da igreja, e ele recebeu o chamado.

Edwards se mudou no verão e supervisionou a ampliação da casa da missão original na planície perto dos índios. A família Edwards, cheia de receios, se mudou finalmente em outubro. Em janeiro, Edwards escreveu para seus idosos pais que "Eles gostam do lugar mais do que esperavam" e que "os índios parecem muito satisfeitos com minha família, em especial, minha esposa". Esther, que nessa altura tinha 20 anos, escreveu entusiasticamente sobre escorregar de trenó pelas longas colinas e ser puxada para cima pelos rapazes índios. Jonathan Jr., o segundo menino, tinha seis anos quando chegaram ali, fez logo amigos índios e se tornou fluente nas línguas indígenas.

Os índios de Stockbridge eram moicanos, parte de uma tribo que antes era maior e que firmara com os ingleses uma aliança proveitosa para a sua proteção. Os apoiadores da missão, incluindo o governo de Massachusetts e alguns contribuintes ricos da Inglaterra, estavam especialmente dispostos a alcançar outro grupo de índios, os mohawks, das poderosas Seis Nações da Confederação Iroquesa, cruciais para os interesses ingleses na América do Norte. Em geral, em parte porque tinham na região menos colonos que procuravam terras, os franceses foram mais bem-sucedidos em recrutar aliados indígenas do que os ingleses. Os mohawks eram uma das exceções que trabalhavam com os ingleses. A atração para os mohawks em Stockbridge era que a cidade deveria prover internatos para as crianças mohawks, e que servissem para alguns como residência de inverno.

Durante o primeiro verão de Edwards em Stockbridge, alguns dos líderes da Nova Inglaterra se reuniram em uma assembleia de chefes mohawks para discutirem a questão. Edwards pregou para os índios, apresentando o evangelho em termos simples. O que ele disse revelou seu ponto de vista sobre os índios. Embora acreditasse que os índios fossem religiosamente pobres e, por consequência, inferiores em cultura, Edwards não via-os como natural ou intrinsecamente inferiores aos europeus. Referindo-se ao tempo do Império Romano, quando os ancestrais dos ingleses eram bárbaros, antes da chegada dos missionários cristãos, Edwards assegurou aos índios: "O que aconteceu com nossos antepassados está acontecendo com vocês". Eles haviam estado em grandes trevas, mas receberam a luz do evangelho. "Não somos melhores do que vocês em nenhum aspecto", ele continuou, "somente que Deus nos fez diferentes e se agradou em dar-nos mais luz. E agora estamos dispostos a dar-lhes esta luz". Edwards acreditava que qualquer nação pode incluir verdadeiros crentes e, por mais humildes que sejam as suas circunstâncias, podem ser espiritualmente superiores aos maiores homens de qualquer lugar. Ele também esperava que um dia houvesse um teólogo notável entre os índios. Mas, primeiro, os mohawks precisavam aceitar os rudimentos simples do evangelho do amor de Deus. Para isso, precisavam da revelação de Deus na Bíblia. Os franceses católicos, disse Edwards, mantinham os índios em trevas por privá-los da Bíblia. Até muitos ingleses não apoiavam missões porque "escolheram mantê-los nas trevas, querendo tirar proveito de vocês".

Nesta última observação, Edwards destacou o grande obstáculo para missões aos índios. Os ingleses haviam tomado as terras dos índios e estavam se assentando constantemente às custas dos nativos. Somente uma minoria dos colonos estava interessada em missões, e mesmo entre os interessados, como as famílias inglesas em Stockbridge, a boa vontade para com os índios era muitas vezes arruinada por desejos de possuir terras e ganhar a vida. À medida que as famílias aumentavam, queriam novas terras para filhos mais novos e, frequentemente, tiravam proveito dos índios ao comprarem suas terras. A família Williams, embora fosse importante apoiadora da missão, era grande ofensora neste aspecto. Edwards perdeu logo a confiança deles por tomar o lado dos índios e insistir em acordos honestos. Para tornar as coisas piores, Abigail Williams Sergeant tinha controle efetivo sobre as escolas designadas para os índios mohawks. Edwards, que queria ganhar o controle, acreditava que a família Williams estava usando mau os recursos financeiros.

Edwards esperava resolver a situação de Stockbridge convidando seu amigo e admirador, o brigadeiro-general Joseph Dwight, de Brookfield (Massachusetts), para estabelecer-se em Stockbridge. Dwight, um negociante próspero que ganhara sua categoria militar em Louisbourg, apoiara Edwards na controvérsia sobre a comunhão e fora um negociador com os mohawks. Edwards acreditava que ele desempenharia os papéis de aristocrata, magistrado e patrono fiel, como John Stoddard fizera em Northampton. Dwight aceitou, mas logo ficou evidente que Edwards tinha feito cálculo errado em um ponto. Depois de chegar a Stockbridge, Dwight caiu sob o encanto da charmosa e inteligente Abigail Williams Sergeant. Por volta de fevereiro de 1752, os dois ficaram comprometidos a se casarem, para decepção de Edwards.

Edwards estava convencido de que a família Williams, liderada por Abigail, administrava de modo errado os internatos, servindo a seus próprios interesses. Uma longa controvérsia se desenvolveu. Dwight e a família Williams afirmavam que Edwards era o problema. No entanto, após dois anos de cartas, queixas, negociações e até o incêndio misterioso de um prédio de escola, os supervisores da missão, incluindo oficiais do governo de Massachusetts e doadores britânicos, decidiram que Edwards estava certo e lhe deram o controle das escolas. A maioria dos mohawks que tinham passado os invernos em Stockbridge deixou o lugar, em desgosto. Embora Edwards ainda tivesse uma igreja de índios moicanos e famílias inglesas, os internatos foram reduzidos a um, contando com apenas cinco crianças moicanas.

Nesse ínterim, outras tensões perturbaram a vida do povoado. Na primavera de 1753, dois colonos ingleses mataram o filho do líder dos moicanos de Stockbridge. Uma corte inglesa inocentou um homem e condenou o outro apenas de homicídio não intencional. Muitos dos moicanos de Stockbridge ficaram com raiva, e surgiu o rumor de que alguns jovens estivessem conspirando com os iroqueses para assassinar colonos ingleses na cidade. Como acontecia frequentemente nas missões americanas aos índios, o comportamento agressivo de colonos euro-americanos estragava os esforços já imperfeitos dos missionários.

Em outros lugares, os conflitos com os índios se tornaram tão difundidos que Benjamin Franklin organizou a primeira conferência intercolonial americana em Albany, no estado de Nova Iorque, a uns 48 quilômetros a noroeste de Stockbridge. Representantes de várias das colônias se reuniram no verão de 1754 para verificar se poderiam cooperar mais eficientemente em resposta às ameaças crescentes dos índios e de seus aliados franceses. Por esse tempo, as hostilidades irromperam mais para o sul e oeste no que se tornaria a Guerra de Índios e Franceses (Guerra dos Sete Anos). Os delegados presentes na Conferência de Albany ouviram que os franceses tinham obtido o domínio completo do Vale do Ohio, depois de tomarem o Forte Necessity de uma força de virginianos liderada por um jovem coronel chamado George Washington.

Os residentes de Stockbridge e outros povoados vulneráveis das montanhas Berkshire, no oeste longínquo de Massachusetts, estavam ficando intensamente temerosos de serem devastados pelos índios. No final do verão de 1754, dois índios canadenses mataram alguns colonos locais e colocaram toda a região em pânico. Stockbridge se tornou um acampamento armado, e a casa de Edwards teve de ser fortificada. Apesar dos apelos por mais ajuda, Stockbridge era um vilarejo remoto e nunca teria proteção suficiente para ser capaz de repelir qualquer ataque considerável.

    O compromisso de Edwards com a missão não foi enfraquecido pelo perigo que ela apresentava para ele e sua família. Edwards viu o modelo de sacrifício pessoal de Brainerd como um exemplo do que acreditava ser o ideal para o cristão. Como o jovem missionário piedoso, eles colocariam o amor a Deus acima de qualquer outra coisa, incluindo a família, o conforto e a segurança pessoal. Enquanto esteve em Stockbridge, Edwards desenvolveu esse mesmo ponto como um princípio filosófico mais universal. Um dos maiores tratados que ele escreveu no relativo isolamento da vila missionária foi chamado *The Nature of True Virtue* (A Natureza da Verdadeira Virtude). Nesse tratado, ele argumentou que os padrões para a virtude derivados da razão natural, como eram postulados pelos filósofos iluministas de seus dias, definiam a virtude muito estreitamente. Através das eras, os filósofos haviam louvado virtudes como amor à família, amor à comunidade e amor à nação. Estas podem ser boas características, disse Edwards, mas são parte da verdadeira virtude somente se começam com amor a Deus. Todos os amores cujos objetos mais elevados são menos do que Deus são amores parciais e não universais. Alguém só pode participar do amor verdadeiramente universal se começar com o amor a Deus e, depois, estabelecer como alvo amar tudo que Deus ama. Se o objetivo de alguém é amar tudo que Deus ama, então, pode começar a realizar verdadeiro sacrifício pessoal.

    Edwards ilustrou o princípio de sacrificar tudo para servir a Deus não somente por permanecer em Stockbridge, mas também por enviar seu segundo filho, Jonathan Edwards Jr., para acompanhar um missionário até às florestas do Vale do Susquehanna. Isso foi na primavera de 1755, quando a guerra era iminente. Gideon Hawley, o jovem missionário, viera a Stockbridge como o candidato de Edwards para gerenciar a escola da missão, mas ficou desiludido depois que o prédio de sua escola foi misteriosamente incendiado com suas posses nele. A única maneira eficaz de alcançar os vitalmente importantes mohawks, ele decidira, era ir às próprias vilas deles. Visto que Jonathan Edwards Jr., que estava com 10 anos, tinha uma boa iniciação nas línguas indígenas de seus amigos, a família Edwards o enviou numa aventura muito perigosa, com esperanças de solidificarem suas habilidades nas línguas para obra missionária posterior.

Uma carta que Jonathan Edwards enviou ao seu filho revela as prioridades e o temperamento do pai. Depois de dizer que pensava em Jonathan Jr. e orava por ele, Edwards o lembrou a manter a Deus sempre em primeiro lugar, porque a verdadeira felicidade está somente em Deus. Depois, o pai relatou a morte de um menino índio, amigo de Jonathan Jr., e disse que essa notícia "é uma altissonante chamada de Deus a você para que se prepare para a morte". Depois de expor este ponto, mandou o amor da família e dos avós idosos, os quais ele vira em East Windsor, e a assinou "Seu afetuoso e amoroso pai".

O que é especialmente impressionante a respeito dessa carta é sabermos que, na viagem para East Windsor, Edwards tivera uma queda muito perigosa de seu cavalo, que rolou completamente sobre ele. No entanto, ele não mencionou esta notícia a seu filho de 10 anos, nem mesmo como uma advertência para que tivesse cuidado. O foco do pai estava totalmente no bem-estar espiritual do seu menino. Como em seus sermões, que nunca incluíam ilustrações pessoais, nada sobre si mesmo devia distrair da mensagem que era crucial para a eternidade.

Nem todos na família eram tão tranquilos no que diz a colocar a vontade de Deus acima de tudo, apesar dos perigos. Temos uma percepção melhor das dimensões pessoais da situação se considerarmos Esther, a segunda filha mais velha sobrevivente, cuja história é fascinante em si mesma. Na primavera de 1753, o Rev. Aaron Burr, o presidente do *The College of New Jersey* (que se tornou Princeton) e um grande admirador de Edwards, visitou a família em Stockbridge. Burr, que estava com 36 anos, viera pedir a mão de Esther, que tinha apenas 20 anos e que ele tinha visto seis anos antes. Ela aceitou prontamente, e Sarah viajou com ela para Nova Jersey, para o casamento naquele mesmo verão. O filho mais velho do casal Edwards, Timothy, que estava com 14 anos, também as acompanhou para matricular-se na faculdade.

Esther tinha uma amiga querida em Boston, Sally Prince, e as duas resolveram manter a amizade por enviarem registros extensos uma à outra de seus pensamentos e atividades. Elas modelaram sua correspondência em parte na forma da série de cartas de alguns dos recém-inventados romances, como *Pamela*, de Samuel Richardson, que estavam entre os assuntos que elas discutiam. No relato de Esther, temos ocasionalmente algum vislumbre de Edwards e sua família. Em um caso, por exemplo, Aaron Burr está em Boston, e Esther escreve para Sally:

> Imagino que nesta noite o Sr. Burr está em sua casa. *Papai* está aí e alguns outros. Vocês se acomodam no meio da sala, e *papai* é o responsável pelo *falar*, e o Sr. Burr,

pelo *sorrir*. O Sr. Prince entra na sala de vez em quando para introduzir uma palavra, e o resto de vocês estão sentados, e veem, e ouvem, e fazem observações para si mesmos... e, quando você subir para o quarto, diga o que pensa. Eu gostaria de estar aí também.

Esther teve dois filhos e, no outono de 1756, fez a árdua viagem até Stockbridge, em parte para mostrar seu filho de seis meses, Aaron Burr Jr. (posteriormente o vice-presidente dos Estados unidos que matou Alexander Hamilton), a seus avós. A Guerra de Índios e Franceses estava no auge e não ia bem particularmente para os ingleses. A derrota e morte do general Braddock na Pensilvânia ocidental, em julho de 1755, causara consternação nas colônias. Em setembro desse ano, Stockbridge foi abalada com a notícia da morte do coronel Ephraim Williams Jr. (o antagonista de Edwards) em uma emboscada mortal na batalha do Lago George, ao norte deles. Também foi morto um dos mais importantes índios amigos dos ingleses e do projeto Stockbridge, o líder mohawk Hendrick, com quem Edwards trabalhava bem próximo e a quem admirava grandemente.

No outono seguinte, perto do tempo da visita de Esther, o general francês Montcalm estava obtendo sucesso na região noroeste de Stockbridge. Esther estava "com muito medo do inimigo". Depois do segundo dia de sua estadia, houve um alarme, de modo que vários índios vieram para a casa e terrenos fortificados da família Edwards. Sabendo que devia se submeter à vontade de Deus, a jovem mãe escreveu: "Quero ser tornada disposta a morrer da maneira que agrade a Deus, mas não estou disposta a ser massacrada por um inimigo bárbaro, nem posso tornar a mim mesma disposta a isso". Por fim, perto do fim de sua estadia, ela teve uma longa conversa com seu pai, que "removeu algumas dúvidas inquietantes que me desanimavam muito em minha luta cristã". Ela acrescentou: "Que misericórdia é ter um pai como ele! Um guia como ele!" Esther retornou à segurança relativa de Princeton, enquanto seus pais confiaram-se a si mesmos e a seus filhos mais novos às mãos de Deus, em meio aos perigos da região desprotegida. Quando rejeitaram os apelos para saírem da zona de guerra, Edwards escreveu a um amigo: "O que acontecerá conosco, só Deus sabe".

Respondendo aos desafios do Iluminismo

Nesse ínterim, Jonathan orava para ser preservado para que pudesse se engajar noutro tipo de "guerra cristã". Antes mesmo de haver iniciado sua carreira desgastante como pastor, evangelista, apologista dos avivamentos e missionário, ele aspirara fazer algumas contribuições importantes como teólogo-filósofo para a igreja. Seu sonho parece ter sido que ele pudesse ser, para o mundo moderno, algo como o antigo teólogo Agostinho (354-430) fora para o velho mundo romano. Desde a sua juventude, Jonathan mantinha grandes cadernos de anotações, costurando novas páginas quando necessário, nos quais rascunhava observações e argumentos sobre quase todo o âmbito das questões bíblicas e teológicas da época. Uma vantagem de viver em Stockbridge era que, por causa de seu isolamento e da relativa pequenez de sua congregação, ele tinha mais tempo para escrever o que esperava seria uma grande série de tratados.

Embora nunca tenha chegado a alguns de seus maiores projetos, sua produção em Stockbridge foi admirável.

A primeira ordem de dever intelectual para a igreja moderna, Edwards acreditava, era combater as erroneamente designadas filosofias "iluminadas" da época. Na opinião de Edwards, estas ideias prevalecentes estavam ameaçando a própria base da fé cristã tradicional. Muitos observadores têm concordado nisso desde então. Para Edwards, um calvinista, o pensamento moderno prevalecente de seu tempo apresentava um contraste nítido com o que deveria ser central para o que achamos ser verdadeiro e bom. Em vez de começar com Deus e sua revelação, filósofos "iluminados" começavam tipicamente com a razão humana, procurando leis naturais. Os calvinistas, embora valorizassem a razão em seu devido lugar, insistiam em que o verdadeiro entendimento deve começar do reconhecimento da incapacidade humana e, por consequência, da necessidade de depender somente de Deus. O espírito da nova época consistia em asseverar que os humanos são, por natureza, essencialmente bons e poderiam achar a verdade, se apenas escolhessem livremente seguir a razão e seus instintos morais inatos. Em vez de permitirem que sua razão e julgamentos morais fossem guiados pelas verdades reveladas na Escritura, eles estavam julgando a Escritura por quão bem ela se conformava com a razão natural e sentimentos morais.

Edwards acreditava que uma das ideias mais "perniciosas nesta época feliz de luz e liberdade" era a maneira como seus filósofos entendiam a "liberdade da vontade". A precaução de Edwards para com este assunto se desenvolveu de seu legado calvinista. Os calvinistas ensinavam que a vontade humana, como tudo mais, era subordinada à soberania de Deus e que as pessoas, em sua condição natural caída (ou seja, sem a mudança de coração que vem por meio da regeneração), não podiam escolher o que é verdadeiramente bom, visto que suas escolhas seriam sempre manchadas de interesse próprio e pecaminoso. Os críticos iluministas ridicularizavam essa doutrina com base no fato de que as pessoas não poderiam ser consideradas responsáveis por algo que não podiam fazer. Isso parecia uma questão de "senso comum" evidente, como dizia a filosofia popular da época.

Sendo um filósofo cuidadoso, Edwards focalizou seu tratado *Freedom of the Will* (Liberdade da Vontade) nesta "noção prevalecente" de que a liberdade de escolha pura era essencial à agência moral à qual podemos atribuir louvor ou culpa. Ele denotou essa pedra fundamental do pensamento iluminista por ressaltar que, na vida comum, as ações das pessoas são constrangidas por seu caráter moral. Em muitas de suas escolhas, os seres humanos não são verdadeiramente livres para agir contra seu próprio caráter profundamente estabelecido. Por exemplo, ele disse, suponha que uma mulher excepcionalmente virtuosa recebeu uma proposta sexualmente indecorosa de um patife. Seu próprio bom caráter tornaria inevitável que ela rejeitasse tal proposta. No entanto, não dizemos que ela é menos louvável porque sua escolha é tão resoluta.

A verdadeira liberdade da vontade, disse Edwards, pode significar apenas que somos livres para escolher o que *queremos* fazer. Não há em nós nenhum agente independente da "livre vontade", com o qual fazemos nossas escolhas sem a ingerência das restrições de toda a nossa pessoa. Pelo contrário, o que queremos ou desejamos fazer é determinado por todo o nosso caráter ou por escolhas, hábitos, compromissos, disposições e apetites prévios. Essas características pessoais que determinam nossas escolhas não as tornam menos "livres", menos nossas próprias ou nos tornam menos responsáveis por elas. O tratado de Edwards, que se tornou um clássico, foi muito debatido no século seguinte, em especial na América, e tem sido, por alguns filósofos, até hoje.

O segundo tratado importante de Edwards, escrito em Stockbridge, defendia a crescentemente impopular doutrina calvinista do "pecado original". De acordo com esse ensino, todos herdaram de Adão e Eva tanto a culpa do pecado, que trouxe a "queda" da raça humana, quanto a natureza caída, que tornou inevitável que eles fossem pecadores em si mesmos. O argumento de Edwards sobre este tópico foi mais teológico, asseverando que, por mais difíceis que sejam essas doutrinas, elas são ensinadas na Escritura. Além disso, essas doutrinas não estavam em desarmonia com outras experiências humanas comuns, como a de nações que foram punidas, às vezes como um todo, por causa dos atos de seus líderes ou a de filhos que sofreram frequentemente as consequências dos atos de seus pais ou antepassados.

Enquanto esteve em Stockbridge, Edwards completou duas outras obras importantes, *The Nature of True Virtue*, que já mencionamos, e sua companheira, *The End for Which God Created the World* (O Fim para o qual Deus Criou o Mundo). Edwards orientou que estas duas obras fossem publicadas em um único volume. Em *A Natureza da Verdadeira Virtude*, ele formulou seu argumento em bases puramente filosóficas; foi sua única obra em que não citou a Escritura. Ela era consistente com o argumento central de Edwards – que a verdadeira virtude tem de começar com amor a Deus – para fazer par com a outra obra que provia seu contexto teológico essencial.

O Fim para o qual Deus Criou o Mundo abordava a questão implícita no título: por que um ser perfeito como Deus precisava criar seres menos perfeitos? A resposta, disse Edwards, é que Deus é perfeitamente amoroso e, por isso, deseja compartilhar seu amor com criaturas capazes de amar. O ponto de partida de Edwards foi que um Deus amoroso está no âmago do universo. Portanto, para Edwards, o universo é essencialmente pessoal; é a expressão criativa de uma pessoa. A ênfase de Edwards em personalidade no centro da realidade apresenta um contrate acentuado com os pontos de vista modernos. Desde o Iluminismo, muitos pensadores modernos têm elaborado teorias baseadas na premissa de que o universo é essencialmente impessoal, controlado por leis naturais. Edwards desafiou esse ponto de vista com uma alternativa vital: que no âmago da realidade está um Deus amoroso e que esse amor é a dinâmica por trás da criação do universo e de tudo que há nele.

Começar com um senso do amor de Deus no centro da realidade muda a maneira como pensamos sobre a verdadeira virtude. No âmago da realidade está a beleza do amor de Deus se derramando, para que o bem mais elevado seja retornar esse amor a Deus. Se amamos verdadeiramente a Deus, devemos também amar o que Deus ama, que é toda a criação, excetuando o mal ou a negação do amor. As filosofias modernas, disse Edwards, começam tipicamente no lugar errado, com os seres humanos e suas necessidades. Elas veem a felicidade humana como o objetivo da criação e, depois, julgam a Deus por seus padrões limitados. Cada pessoa, comunidade ou nação tem suas próprias ideias do que lhes trará felicidade, e as pessoas entram em conflito umas com as outras porque seus padrões de virtude são muito limitados. Somente a verdadeira virtude, que começa com o amor ao Criador, pode unir as pessoas. Este amor universal pelos outros, que deve se desenvolver do verdadeiro amor a Deus, Edwards o chamou "amor ao ser em geral". Seu discípulo Samuel Hopkins tornou essa designação na expressão ainda mais prática "benevolência desinteressada", significando que uma pessoa deveria agir amorosamente pelos outros sem qualquer consideração por seus próprios interesses. A máxima "benevolência desinteressada", de Hopkins, foi influente em alguns dos primeiros movimentos de reforma americana, mais notavelmente no movimento antiescravagista.

Edwards tinha muito mais planejado, e sua situação em Stockbridge o deixou com pouco a fazer, senão trabalhar em seus tratados. A guerra tornara impraticável a escola da missão para os mohawks, e muitos dos homens moicanos estavam longe, servindo no esforço de guerra inglês. (Vários dos moicanos de Stockbridge serviram com os *Rangers* de Rogers, uma força imortalizada no romance de James Fenimore Cooper, *O Último dos Moicanos*, que empregou o cenário da Guerra de Índios e Franceses em 1757 e abordava uma tribo ficcional do mesmo nome). O fato de que Stockbridge estava pobremente defendida aumentava as ansiedades, mas ela era tão isolada que tinha pouco valor estratégico.

Por esse tempo, a vida de Edwards se tornava intimamente ligada à de sua filha Esther Edwards Burr. O *College of New*

Jersey se mudara recentemente para Princeton, e na primavera de 1757 desfrutou de notável aumento de alunos fomentado por seu presidente, Aaron Burr Sr. Depois, em setembro, ocorreu uma catástrofe. Aaron Burr Sr., que estava com apenas 59 anos, ficou repentinamente enfermo e morreu alguns dias depois. Os conselheiros devastados se voltaram quase de imediato para a solução óbvia: o pai de Esther.

Quando Jonathan recebeu o convite de Princeton, ficou profundamente dividido. Em uma carta extensa dirigida aos conselheiros, ele ofereceu duas razões por que hesitava em aceitar o convite. Primeiramente, comentou que era propenso a enfermidades prolongadas e um acompanhante "espírito de abatimento", o que o tornava relutante para abandonar sua vida reclusa em Stockbridge em favor da rotina atarefada e dos muitos compromissos pessoais de um presidente de faculdade.

Em segundo, Jonathan descreveu com alguns detalhes, duas grandes obras que esperava escrever. A mais importante seria a que ele chamou *A History of the Work of Redemption* (Uma História da Obra de Redenção). Esta seria um tratado amplo de toda a teologia, colocado numa estrutura histórica, detalhando como Deus estava trazendo redenção por meio da história humana, centrando-se na vinda de Cristo e culminando na segunda vinda de Cristo. Ele já havia pregado uma série de sermões com o mesmo título sobre desenvolvimentos históricos, mas nessa altura planejava um projeto vastamente ambicioso, o de construir sobre essa estrutura "um corpo de teologia em um método totalmente novo".

A outra grande obra que ele planejava deveria ser um enorme estudo bíblico intitulado *The Harmony of the Old and*

New Testament (A Harmonia do Antigo e Novo Testamentos). Edwards estudava a Bíblia detalhadamente todo dia de trabalho, e durante várias décadas desenvolveu grandes cadernos de anotações desses estudos. Ele tencionava reunir esse material em uma obra enciclopédica que uniria toda a Escritura. Particularmente, ele enfatizaria as maneiras pelas quais a revelação da salvação em Cristo, no Novo Testamento, cumpriu inúmeras profecias e tipologias do Antigo Testamento.

UMA VIDA INTERROMPIDA

Apesar de sua dedicação a esses projetos e da esperança de reedificar a missão aos índios, Edwards sentiu que deveria se manter aberto ao que poderia ser um novo chamado de Deus. A nova faculdade em Princeton era crucial à causa Nova Luz. Nem os mais liberais em Harvard, nem Yale, onde ele estudara, eram amigáveis à promoção de avivamentos que estavam em progresso. Edwards pediu que um concílio do clero local lhe desse conselho. Quando anunciaram sua decisão de que deveria ir para Princeton, ele a aceitou, embora em lágrimas. Edwards partiu quase imediatamente, em janeiro de 1758, deixando a família, para que se mudassem na primavera.

Em Princeton, Edwards se mudou com Esther e seus dois netos, Sally e Aaron Jr., para a atraente casa do presidente (que ainda ficava perto do original Salão Nassau no campus de Princeton). Ele pregou poucas vezes na capela da faculdade, preparou algumas lições para alunos e foi estabelecido oficialmente como presidente em meados de fevereiro. Isso foi tudo. A varíola estava se propagando pelas colônias. Inoculações contra a doença tinham riscos bem conhecidos e eram controversas, mas também melhoravam as chances de sobrevivência. Edwards, que sempre se mantivera atualizado dos últimos desenvolvimentos científicos, teve toda a família inoculada em fevereiro. Enquanto Esther e os netos ficaram bem, Edwards logo contraiu uma segunda infecção que, por fim, o impossibilitou de alimentar-se. Ele morreu em 22 de março, aos 54 anos.

Durante quase toda a sua vida, Edwards se preparara para esse momento. Pregara frequentemente aos outros sobre como deveriam se preparar para a morte e o julgamento justo a qualquer momento; e disciplinara-se com um regime de devoção para que estivesse preparado. Nas semanas em que esteve desvanecendo, Edwards deve ter se perguntado por que Deus o estava levando quando ainda tinha tanto a fazer. Mas submissão aos mistérios do amor de Deus que excedem o entendimento humano estava no âmago da teologia de Edwards. Quando soube que o fim estava próximo, ele ditou uma mensagem a ser enviada a Sarah em Stockbridge, para "dar meu amor mais afetuoso à minha querida esposa e dizer-lhe que a união comum que existiu entre nós por tanto tempo foi de tal natureza, que creio seja espiritual e, portanto, continuará para sempre".

Infelizmente, os problemas na família estavam longe de acabar. Apenas duas semanas depois da morte de seu pai, Esther contraiu uma febre aparentemente estranha e morreu poucos dias depois. Ela tinha apenas 26 anos. Em Stockbridge, Sarah Edwards ficou doente quando recebeu esses golpes sucessivos e quase insuperáveis. Por volta de setembro, ela estava pronta para viajar e foi buscar os netos órfãos e cuidar dos negócios da família. Logo ela contraiu outra doença e morreu em 2 de outubro de 1758. Por trinta anos, a família parecera admiravelmente estável, sofrendo apenas uma morte, a de Jerusha. Em menos de um ano, a família foi separada irrecuperavelmente.

Para nós, é fascinante especular como poderia ter sido a história americana se Edwards tivesse permanecido em Princeton durante a Revolução Americana. O que teria acontecido se ele tivesse vivido tanto quanto seu contemporâneo Benjamin Franklin, que morreu somente em 1790? O proeminente sucessor de Edwards em Princeton, o Rev. John Witherspoon, um filósofo escocês, se tornou o único clérigo a assinar a Declaração de Independência. Witherspoon havia dado aulas a James Madison, e Princeton foi o lugar de uma batalha crucial na guerra. O neto de Edwards, o órfão Aaron Burr Jr., também estudou em Princeton e chegou à proeminência na revolução. Ele se tornou um político famoso conhecido por seu legado familiar, mas não por sua fé.

Ainda que Edwards deplorasse habitualmente qualquer rebelião contra autoridade, talvez ele tivesse apoiado a revolução, como o fizeram a maioria de seus amigos e parentes, crendo que a Grã-Bretanha tinha perdido sua autoridade.

Ao mesmo tempo, Edwards colocava uma prioridade tão elevada nas questões espirituais e teológicas, que teria ficado triste quando sua faculdade e apoiadores se tornaram tão distraídos por política. Talvez tenha sido conveniente que ele tenha vivido durante o Grande Avivamento, mas tenha perdido a Revolução Americana. A História lembra a revolução como mais importante do que o avivamento. Edwards teria discordado.

CONCLUSÃO

O que Devemos Aprender de Edwards?

Muitos americanos são fascinados pela fundação da nação, mas poucos compreendem que houve duas revoluções nas colônias britânicas do século XVIII. Antes da revolução política de 1776, houve a revolução religiosa, conhecida posteriormente como Grande Avivamento. Inúmeros colonos americanos rejeitaram as rotinas solenes de suas igrejas estabelecidas e responderam à mensagem que apelava diretamente a eles. Esta revolução revitalizou o princípio protestante de que a salvação não vinha por meio da autoridade da igreja e sim diretamente por meio da obra salvadora de Cristo para cada indivíduo. Crentes redimidos poderiam desafiar, se necessário, as autoridades da igreja que não pregassem a mensagem pessoal de que o coração de uma pessoa tem de ser mudado radicalmente para a salvação.

O resultado desta revolução espiritual foi que as mais vigorosas das igrejas americanas foram edificadas sobre um princípio de voluntariedade do povo e não sobre o controle do estado ou da autoridade herdada. Durante as gerações seguintes à Revolução Americana, quando os Estados Unidos ainda eram predominantemente protestantes, igrejas de voluntariedade do povo, como metodistas e batistas, foram as que floresceram mais e estabeleceram o tom para muito do cristianismo americano posterior.

Entendendo a herança paradoxal da América

Se esquecemos esta revolução espiritual que se desenvolveu do Grande Avivamento e nos concentramos apenas nas origens políticas da nação, não temos meios para explicar uma das mais impressionantes características da América contemporânea. Os Estados Unidos são uma das nações modernas mais industrializadas e tecnologicamente avançadas e, em muitos aspectos, excessivamente seculares; mas são, também, notavelmente religiosos. Em contraste com a Grã-Bretanha ou com a Europa Ocidental, onde as igrejas estão definhando, na América a grande maioria de pessoas professa fé religiosa. Provavelmente, a porcentagem de pessoas que frequenta regularmente igrejas seja mais alta hoje do que o foi na era colonial. Explicações puramente políticas e seculares não podem justificar este paradoxo essencial da nação que é, ao mesmo tempo, tão secular quanto religiosa.

Jonathan Edwards é uma figura proeminente entre os pais fundadores da primeira revolução americana, a revolução espiritual do avivamento. Ele foi o Thomas Jefferson dessa revolução, não somente o seu principal filósofo, mas também, às vezes, um líder prático controverso. George Whitefield foi o George Washington do avivamento, o general amplamente admirado no campo. Embora essas analogias não sejam exatas, Edwards foi certamente um dos importantes fundadores do movimento evangélico que se tornou e continua sendo a maior tradição religiosa desenvolvida na América. "Evangelicalismo" é apenas o termo coletivo que designa todos os tipos de cristãos que ainda enfatizam a autoridade da Bíblia, a importância da conversão sincera e a urgência de evangelismo e missões.

    O evangelicalismo é, às vezes, caracterizado como anti-intelectual, mas a presença de Edwards nesta herança demonstra que o evangelicalismo possui também um lado bem diferente. Edwards tanto promoveu os avivamentos revolucionários que fomentaram o evangelicalismo quanto tentou impedir que seus apelos populares arruinassem sua teologia. Enquanto os avivamentos se moviam através da república americana primitiva, Edwards não teria ficado feliz em vê-los fragmentar-se em muitos subtipos popularizados. Mensagens simplificadas tiveram, inevitavelmente, apelo mais amplo do que as teologias mais substanciais das velhas tradições reformadas. Ainda assim, Edwards continua a ser respeitado entre aqueles ramos do evangelicalismo que permaneceram reformados, especialmente aqueles com um legado da Nova Inglaterra. Hoje, o evangelicalismo é uma enorme coalizão que inclui muitas variedades, e, embora seus tipos mais evidentes ainda sejam movimentos populares cuja força está em qualquer lugar, exceto na profundeza teológica, estes não devem ser confundidos com o todo. O movimento evangélico também inclui elementos significativos que preservam uma combinação de fé entusiasta e intelecto rigoroso, à semelhança de Edwards.

Conhecer a história de Edwards também nos ajuda a prover uma resposta para a questão muito debatida da extensão em que os Estados Unidos tiveram origens cristãs. Edwards pode ser visto como representante do término do puritanismo americano, a herança religiosa mais formidável na América colonial. Sua presença, a presença de seus seguidores e a de outros avivalistas na véspera da Revolução Americana mostra, certamente, uma presença cristã significativa na América colonial no século XVIII. No entanto, essa observação precisa ser equilibrada com o fato de que cristãos intensamente avivalistas da era revolucionária nunca foram a maioria. Eles não pensavam que a nova nação ou seus antecessores coloniais imediatos eram suficientemente cristãos – essa era a razão por que acreditavam haver uma necessidade urgente de avivamentos. Achavam que sua época, apesar das muitas expressões públicas de cristianismo, era singularmente profana e muito influenciada por filosofias subcristãs que se desenvolveram do iluminismo. Ainda que a maioria deles endossasse o rompimento com a Grã-Bretanha, porque achava a nação-mãe ainda mais corrupta, os cristãos avivalistas da era revolucionária consideravam-se uma minoria assediada em uma nação que estava longe de ser verdadeiramente cristã.

Aprofundando discernimentos teológicos

Embora Edwards tenha desempenhado um papel bastante prático em estabelecer a tradição avivalista duradoura da América, ele é mais bem lembrado e estudado hoje por seus profundos discernimentos teológicos. Edwards desenvolveu sua teologia dentro de sua própria tradição reformada ou calvinista. E muitos dos seus discernimentos particulares são mais celebrados por pessoas dessa herança. No entanto, ele também explorou alguns dos escopos mais elevados da herança cristã mais ampla, que transcendem qualquer perspectiva. Nesses interesses elevados que todos os cristãos compartilham, pessoas de todas as tradições têm sido influenciadas pelas observações de Edwards.

O princípio crucial que muitos crentes podem obter de Edwards é que, se há um Deus criador, então, os relacionamentos mais essenciais no universo são pessoais. Edwards começava toda inquirição fazendo a conexão com Deus. Se queremos entender o universo, devemos entender por que Deus o criou. Como Edwards argumentou em seu tratado *O Fim para o qual Deus Criou o Mundo*, o Deus trino, perfeitamente amoroso, tinha de criar para compartilhar aquele amor com outros seres moralmente responsáveis. O universo é, em outras palavras, o resultado do sempre expansivo "big bang" (usando uma expressão posterior) do amor de Deus. Se vemos a realidade em suas verdadeiras dimensões, então, nós a vemos como expressão contínua da beleza do amor que flui do Criador. Se sentimos a beleza da luz que atravessa as árvores e as flores nos campos, estamos captando pequenos vislumbres da beleza do amor de Deus. O mundo físico é a linguagem de Deus; "Os céus proclamam a glória de Deus", como é dito nos Salmos. O pecado corrompeu parcialmente o universo e cega os humanos, frequentemente, para que não vejam sua verdadeira essência. Todavia, aqueles que, por meio da obra do Espírito

Santo, têm sua visão restaurada, esses podem ver toda a realidade, não como essencialmente impessoal, mas como uma linda expressão do amor de Deus em sua essência.

 O relacionamento mais importante neste universo pessoal é o relacionamento com Deus, o criador e redentor. Edwards expressou muito bem as implicações desse ponto em seu sermão "A Luz Divina e Sobrenatural", que é o melhor lugar em que podemos achar uma afirmação breve de sua perspectiva. O Espírito Santo trabalha nos pecadores para que, em vez de serem cegos para as coisas mais elevadas, por seu amor ao ego e aos prazeres efêmeros, vejam a beleza da luz do amor de Deus. Eles recebem "olhos para ver" e são transformados e regenerados – "nascidos de novo". Esta transformação não é apenas uma mudança no entendimento, mas também uma mudança nas afeições da pessoa ou no que ela valoriza e ama. A pessoa tem um tipo de "novo senso" da glória, da beleza e do amor de Deus; e essa sensibilidade estimulante remodela as prioridades do que ela ama. Pessoas espiritualmente transformadas respondem ao amor de Deus por amarem primeiramente tudo que Deus ama ou tudo que é bom. Em outras palavras, a transformação do relacionamento mais essencial de uma pessoa revoluciona o modo como ela se relaciona com o resto da realidade.

 Essa grande visão de um universo pessoal, centrado em Deus, provê um nítido contraste com a visão essencialmente impessoal e materialista do universo que tem predominado desde o Iluminismo dos dias de Edwards. De fato, Edwards estava se opondo aos aspectos secularizadores das tendências do Iluminismo que ele via ao seu redor. No ápice da moda intelectual de seus dias, estava o deísmo, o tipo de crença que muitos fundadores americanos tinham, como Benjamin Franklin e Thomas Jefferson. Impressionados pelas leis naturais da realidade física no universo newtoniano, os deístas pensavam no universo como uma máquina magnificamente complexa, governada por essas leis impessoais. Para explicar a origem do universo, eles acreditavam que havia um Deus que era como o relojoeiro cósmico, que criara uma máquina maravilhosa e a deixara para funcionar por si mesma, sem qualquer interferência. Também acreditavam que tem de haver princípios morais integrados à natureza da realidade, que podem ser descobertos pela razão natural. Essencialmente, o que os deístas faziam era distanciar Deus de sua criação. Embora Deus pudesse guiar as coisas por meio de uma "Providência" geral, a Deidade não tinha de intervir com revelações e milagres, nem por meio da encarnação de Jesus Cristo. Verdades a respeito da realidade dependiam não de pessoas e sim de leis abstratas, as quais poderiam ser descobertas por processos racionais impessoais.

Edwards, que também foi impressionado pelo entendimento newtoniano da realidade física, se moveu na direção oposta. Em vez de ver o mundo físico como essencialmente impessoal, ele o entendia, até em suas leis cientificamente previsíveis, como uma expressão permanente e íntima do amor de Deus. Por meio da revelação da obra redentora de Cristo, revelada plenamente apenas na Escritura, uma pessoa poderia achar as indicações necessárias para entender um universo com amor pessoal em seu centro. Tudo, quando corretamente entendido, apontava para o amor redentor de Deus.

O ponto de vista impessoal quanto ao universo tem dominado a maior parte do pensamento moderno. Na civilização moderna, desde o Iluminismo, temos desenvolvido imensas habilidades para controlar aspectos de nosso ambiente físico imediato. Embora quase todas as pessoas apreciem as formas de conforto humano cada vez maiores, esta preocupação com o controle do mundo material tem encorajado um ponto de vista materialista da realidade. Tendemos a valorizar as pessoas com base nas suas possessões materiais, poder e aparência física. Tendemos a pensar no mundo "real" em termos de forças materiais e tentamos explicar tudo nesses termos. A tecnologia moderna edificou uma civilização tecnológica, na qual as pessoas ganham poder e influência por manipularem coisas materiais. Estas coisas materiais podem, de fato, ser usadas frequentemente para melhorar os relacionamentos humanos, criar realidades virtuais ou mesmo celebrar coisas imateriais ou espirituais. Todavia, controlar coisas materiais é a fonte prática de poder, a chave para o progresso humano.

Benjamin Franklin foi o grande profeta americano desta abordagem materialista e prática da realidade. Franklin era famoso por seus experimentos científicos em eletricidade. Ele foi um gênio em aplicar princípios práticos, em um modelo científico, a invenções físicas e em projetar novas organizações sociais. Franklin é um exemplo especialmente atraente desta perspectiva, porque dedicou inúmeras invenções práticas ao benefício da sociedade. Muitas das mais impressionantes realizações americanas foram construídas sobre os fundamentos que Franklin ajudou a assentar.

A maestria técnica Frankliniana, por mais atraente que seja, vem acompanhada de um preço. Nossa civilização tende a ser deslumbrada por suas próprias realizações, que se focalizam amplamente no aprimoramento daquilo que pode oferecer conforto e prazer material. No entanto, quanto mais nos preocupamos com tais questões, tanto mais difícil é integrarmos sensibilidades espirituais às nossas perspectivas e atitudes práticas. Até muitos crentes religiosos tendem a simplesmente acrescentar Deus e uma dimensão espiritual a um ponto de vista amplamente materialista das coisas. A espiritualidade deve provavelmente ser considerada como uma opção pessoal suplementar, disponível para tempos de crise. Menos frequentemente, ela muda de modo substancial a maneira como as pessoas vivem ou o que elas valorizam. Os Estados Unidos, que são, de fato, a nação professamente mais religiosa das grandes nações industrializadas, são também uma das nações mais materialistas, hedonistas e profanas.

A alternativa Edwardsiana provê a base para aprofundar as dimensões teológicas de muitas das heranças religiosas que florescem no mundo contemporâneo. Edwards desafiou os padrões modernos iluminados de seus próprios dias. Ele fez isso por insistir em começarmos com Deus, conforme revelado na Escritura, e na obra redentora de Cristo, em vez de começarmos com os padrões populares de como os seres humanos devem resolver seus próprios problemas. A fé em Deus não era, portanto, algo a ser acrescentado às normas culturais da época, mas, em vez disso, era o ponto de partida, as lentes pelas quais tudo mais deveria ser analisado.

Além disso, a visão teológica de Edwards não era apenas um ponto de partida teórico, mas baseava-se no tipo mais intenso de paixão prática. A teologia de Edwards era prática, porque ele sempre pensava em Deus não como um princípio abstrato, mas como alguém envolvido pessoal e intimamente com toda a criação. O Deus das Escrituras, Edwards insistiu, mantém ativamente um relacionamento íntimo com todo o universo. E o mais importante é que este Deus ativo está realizando a sua obra redentora em Cristo, que está no centro da história da humanidade.

"Beleza" foi o termo que Edwards usou mais especialmente para descrever o caráter das ações contínuas de Deus na criação e na redenção. "Beleza", para Edwards, não era apenas um objeto de contemplação passiva e sim um poder transformador. Se alguém vê uma pessoa bela, disse Edwards, não pode deixar de ser atraído àquela pessoa. O coração da pessoa é atraído àquela beleza, e as ações da pessoa seguirão o seu coração. O mesmo acontece com a extraordinária beleza de Deus revelada em Cristo. A coisa mais bela em toda a realidade é um Ser perfeitamente bom sacrificar-se, com amor, em favor de criaturas rebeldes e ingratas. Se alguém vê a perfeita beleza desse amor, não pode deixar de ser atraído a ele. Portanto, o papel do evangelista é transmitir a verdade da revelação de Deus para que pecadores cegos para essa beleza, por causa do amor próprio, tenham, pela graça de Deus, seus olhos abertos para vê-la verdadeiramente. Se fizerem isso, seu coração será mudado e sua vida será dedicada a amar e servir a Deus e os outros.

Integridade centrada em Deus

Talvez a melhor maneira de resumir o caráter de Edwards seja dizermos que ele tinha integridade centrada em Deus. Ter integridade sugere não somente honestidade, firmeza de princípio e solidez de vontade, mas também que os vários elementos da vida e pensamento da pessoa estão integrados ou são um todo unificado. Um historiador, é claro, não pode ter acesso às dimensões mais íntimas do coração de um personagem histórico, mas, depois de passar vários anos examinando o registro feito por e sobre Edwards, posso dar testemunho da notável consistência de sua vida e pensamento. O Edwards privado, pelo menos do que ele permitiu alguém ver, parece ser o mesmo Edwards público. Ele manteve suas prioridades teológicas na mais alta posição, tanto em relação à sua família ou à pregação de um sermão quanto nas inúmeras horas de trabalho em suas anotações ou tratados em seu escritório. Em situações sociais, Edwards era pouco interessado em conversas triviais e sempre queria mudar a conversa para coisas importantes. A desvantagem dessa característica foi que, especialmente para aqueles que não o conheciam bem, ele parecia reservado, insociável e sempre sério. Apesar disso, Edwards era, pelo que todos dizem, admiravelmente coerente.

A despeito de sua formalidade, Edwards era um homem de paixões e afeições. Suas paixões e suas afeições eram motivadas por sua teologia, muito mais do que para a maioria das pessoas. Nessa integração de afeições e intelecto, sua vida ilustrava seus ensinos. Uma vez que experimentara o dom de ver a beleza do amor redentor de Deus em Cristo no próprio centro do universo, tudo mais se tornou secundário. E, somente quando experimentasse a realidade do amor redentor de Deus, Edwards estava convencido, poderia alguém amar verdadeiramente os outros como deveria. Portanto, quer em arriscar a sua vida e a de sua família para ministrar entre os índios, quer em arriscar demais no apoio de jovens evangelistas novatos, quer em escrever cartas para seus filhos, Edwards era motivado por um interesse entusiasta e abrangente de um relacionamento correto com Deus. Sem isso, a eternidade era uma prospectiva obscura e aterrorizante. Com isso, tudo era tão claro quanto o dia.

Sugestões para Leitura Posterior [1]

Quase todo assunto discutido neste livro é discutido em detalhe na obra *Jonathan Edwards: A Life* (Yale University Press, 2003), de George Marsden. As notas de rodapé contidas na obra também levam o leitor a muitas das obras mais proveitosas sobre cada subtópico.

Sem dúvida, a melhor fonte é o portal de *Internet* do *Jonathan Edwards Center*, na Universidade de Yale, http://edwards.yale.edu/. Pode-se achar neste site todas as obras de Edwards, incluindo muitos sermões e anotações não disponíveis antes. No menu *"Research"*, pode-se achar bibliografia extensa sobre uma grande variedade de assuntos. No menu *"Education"*, há sugestões de leitura apropriada para os níveis

---

[1] Nota do Editor: A maior parte dos escritos de Jonathan Edwards está ainda na língua inglesa e pouca coisa foi traduzida para o português. Mantivemos esta seção, todavia, como um estímulo para aqueles que lêm em inglês e como uma referência para possíveis futuras traduções.

de ensino médio e faculdade ou para contextos pastorais ou grupos na igreja.

As próprias obras de Edwards são, às vezes, leitura demorada, visto que ele não economiza palavras, mas afirma o mesmo ponto muitas vezes e de várias maneiras para garantir clareza total. Seus escritos são, portanto, lucidamente claros, mas seu ritmo exige alguma familiaridade. A obra *A Jonathan Edwards Reader*, editada por John E. Smith, Harry S. Stout e Kenneth P. Minkema (Yale University Press, 1995), oferece uma seleção excelente das obras básicas de Edwards, incluindo excertos de seus grandes tratados. Entre os seus sermões, "A Divine and Supernatural Light", nessa obra e noutras antologias, é um dos mais importantes e um bom lugar para se começar. A obra *The Sermons of Jonathan Edwards: A Reader*, editada por Wilson H. Kimnach, Kenneth P. Minkema e Douglas A. Sweeney (Yale University Press, 1999), oferece uma seleção excelente. Uma das séries de sermões mais populares de Edwards é *Charity and its Fruits*[1], disponível em muitas edições impressas. A obra *Signs of the Spirit: An Interpretation of Jonathan Edwards's "Religious Affections"* (Crossway Books, 2007), oferece uma paráfrase agradável e uma interpretação desse texto clássico. *Seeing God: Twelve Reliable Signs of True Spirituality* (InterVarsity Press, 1995), de Gerald R. McDermott, também oferece uma atualização acessível do argumento de Edwards concernente às afeições religiosas. *God's Passion for His Glory: Living the Vision of Jonathan Edwards* (Crossway Books, 1998) – contendo o texto completo de *The End for Which God Created the World* – apresenta um

---

1 Nota do Editor: Este livro está em processo de edição e será publicado em português pela Editora Fiel.

dos mais importantes tratados breves de Edwards espiritualmente inspirador hoje. *A God Entranced Vision of All things: The Legacy of Jonathan Edwards* (Crossway Books, 200), de John Piper e Justin Taylor, oferece ensaios que consideram como vários aspectos da perspectiva de Edwards ainda são valiosos para os crentes.

Entre as muitas obras excelentes sobre a teologia de Edwards, há duas especialmente proveitosas com as quais se pode começar: *America's Theologian: A Recommendation of Jonathan Edwards* (Oxford University Press, 1988), de Robert W. Jenson, e *Encounters with God: An Approach to the Theology of Jonathan Edwards* (Oxford University Press, 1998), de Michael McClymond. A obra *One Holy and Happy Society: The Public Theology of Jonathan Edwards* (Penn State University Press, 1992), de Gerald R. McDermott, oferece uma introdução ao pensamento social de Edwards. *Jonathan Edwards and the Bible* (Indiana University Press, 2002), de Robert E. Brown, é uma introdução proveitosa a esse assunto. Quanto ao contexto do Grande Avivamento, ver *The Great Awakening: The Roots of Evangelical Christianity in Colonial America* (Yale University Press, 2007), de Thomas S. Kidd. A respeito de George Whitefield, as obras *The Divine Dramatist: George Whitefield and the Rise of Modern Evangelicalism* (Eerdmans, 1991), de Harry S. Stout, e *"Pedlar in Divinity": George Whitefield and the Transatlantic Revivals* (Princeton University Press, 1994), de Frank Lambert, são biografias breves e agradáveis. A obra *The Journal of Esther Edwards Burr, 1754-1757* (Yale University Press, 1984), editada por Carol F. Carlsen e Laurie Crumpacker, é um meio fascinante de contemplarmos a geração seguinte.

FIEL
MINISTÉRIO

O Ministério Fiel visa apoiar a igreja de Deus, fornecendo conteúdo fiel às Escrituras através de conferências, cursos teológicos, literatura, ministério Adote um Pastor e conteúdo online gratuito.

Disponibilizamos em nosso site centenas de recursos, como vídeos de pregações e conferências, artigos, e-books, audiolivros, blog e muito mais. Lá também é possível assinar nosso informativo e se tornar parte da comunidade Fiel, recebendo acesso a esses e outros mate- riais, além de promoções exclusivas.

Visite nosso site
www.ministeriofiel.com.br

Esta obra foi composta em Arno Pro Regular 12, e impressa
na Promove Artes Gráficas sobre o papel Pólen Soft 70g/m²,
para Editora Fiel, em Dezembro de 2020